15/06

Grammaire espagnole

Nouvelle édition, avec exercices corrigés

Gabriel VINCENT
Jean-Paul DUVIOLS

BORDAS
LANGUES

Couverture : Jean-Louis Couturier

Crédits photos couverture (de gauche à droite et de haut en bas) :
ph © P. Horree / A.N.A. ; ph. © A. Soldeville / A.N.A. ;
ph © J.P. Valentin / A.N.A. ; ph © J. Bravo / A.N.A.

© BORDAS, Paris, 1993
ISBN 2-04-0 20849-6

Préface

Cette grammaire a pour ambition de répondre aux besoins de tous les utilisateurs, qu'ils soient débutants ou qu'ils possèdent déjà de solides connaissances en espagnol. Pour atteindre cet objectif, notre souci a été avant tout d'être simples et clairs.

Cette grammaire espagnole a été conçue à l'usage des Français, aussi a-t-elle été rédigée en fonction des correspondances des deux langues. Nous avons particulièrement insisté sur les difficultés qui sont la conséquence des différences de structures, d'emplois ou de sens propres au génie de chacune des deux langues comparées.

Nous avons essayé, d'autre part, d'écarter toute érudition inutile, et tout en respectant le « castillan classique », nous avons tenu compte de l'usage de la langue contemporaine. En effet, toute langue vivante est mouvante, en constante évolution, aussi avons-nous souligné le cas échéant la « flexibilité » de certaines règles.

Cette nouvelle édition regroupe à la fin les exercices corrigés, qui permettront à l'utilisateur de vérifier aisément les connaissances acquises ou révisées. Le vocabulaire de ces exercices est volontairement simple, de façon à privilégier l'aspect morphologique et syntaxique de la phrase.

Convaincus que cet ouvrage répond à un besoin réel, nous espérons qu'il constituera un instrument de travail facile à consulter et efficace.

Les auteurs

Prononciation-Accentuation

1. L'alphabet

28 lettres composent l'alphabet espagnol :

A	a	(a)	M	m	(eme)
B	b	(be)	N	n	(ene)
C	c	(ce)	Ñ	ñ	(e`ne)
CH	ch	(che)	O	o	(o)
D	d	(de)	P	p	(pe)
E	e	(e)	Q	q	(cu)
F	f	(efe)	R	r	(erre)
G	g	(ge)	S	s	(ese)
H	h	(hache)	T	t	(te)
I	i	(i)	U	u	(u)
J	j	(jota)	V	v	(ve, uve)
K	k	(ka)	X	x	(equis)
L	l	(ele)	Y	y	(i griega)
LL	ll	(elle)	Z	z	(ceta)

Le **W** (uve doble) n'appartient pas à l'alphabet espagnol. Il n'est utilisé que dans les mots d'origine étrangère.
Les lettres **CH, LL, Ñ** se trouvent respectivement dans le dictionnaire après **C, L** et **N.**
Le nom des lettres est féminin : **la a ; la b.**
En principe, toutes les lettres d'un mot doivent être prononcées.

2. Les voyelles

A	a	Correspond au *a* français ouvert.
E	e	Se prononce *é*. N'a jamais le son du *e* muet français.
I	i	Même son qu'en français.
O	o	Même son qu'en français.
U	u	Se prononce *ou*. Le son *u* du français n'existe pas.
		Ne se prononce pas dans les groupes GUE ; GUI ; QUE ; QUI.
Y	y	Se prononce *i* dans le cas de la conjonction de coordination ; a par ailleurs la valeur d'une semi-consonne.

Les voyelles espagnoles ne sont jamais nasalisées par **M** ou N :
El hombre, el convoy, el indio...

3. Les diphtongues

On appelle diphtongue la combinaison de deux voyelles prononcées en une seule émission de voix. Ces deux voyelles ne forment donc qu'une seule syllabe où chacune d'entre elles conserve sa prononciation propre. La diphtongue est formée de la réunion d'une voyelle forte (**a, e, o**) et d'une voyelle faible (**u, i**) ou bien de deux voyelles faibles entre elles :

> el **ai**re, la r**ei**na, la b**oi**na, el p**ia**no, la p**ie**dra, el p**io**jo, el r**ui**do, la v**iu**da.

Lorsque la deuxième voyelle porte un accent écrit, la diphtongue est rompue et l'on a deux syllabes :

> el ata**ú**d, el pa**í**s, o**í**r, re**í**r.

Les voyelles fortes ne forment jamais de diphtongues entre elles. Elles comptent donc pour deux syllabes et c'est la deuxième qui est accentuée :

> c**ae**r, l**ea**l, la c**ao**ba.

4. Les consonnes

B et V Se prononcent sensiblement de la même manière. Toutefois, en début de mot et après une consonne, le son est assez proche du **b** français :
el **b**urro, la **v**aca.
Entre deux voyelles, la prononciation se rapproche du **v** français :
ha**b**er ; las u**v**as.

C devant E, I
Z devant une voyelle
Se prononcent en plaçant la langue entre les dents (cf. *th* anglais de *thing*) :
el **c**erebro, la **c**igarra, **Z**aragoza, **Z**enobia, **z**igzag, **z**orro, **z**umbar.

C devant A, O, U
QU devant E, I
Ont le son dur du français *c*adeau :
cariño, **c**omer, **c**ubo, **qu**erer, **qu**ímico.

CH Se prononce *tch* (français *tchèque*) :
el mu**ch**acho, **Ch**ile, el **ch**ulo, **Ch**e Guevara...

D	Même prononciation qu'en français, sauf à la fin des mots où on l'entend à peine :
	Madrid, la soledad, Usted, la virtud...

G devant E, I
J (jota) devant une voyelle

    Son guttural sourd (cf. *ch* allemand) :
    la geografía, Gibraltar, el jabalí, Jérez, Jimena, el jornalero, Junio.

G devant A, O, U
GU devant E, I

    Même son dur que dans le français *gare* :
    el gallo, la gorra, el gusto, la guerra, la guitarra.

Attention !

    Dans **guerra, guitarra, u** n'est pas prononcé.
    Dans **agua, Guatemala, antiguo, cigüeña, argüir, u** est prononcé.

G devant N

    Les deux éléments concervent leur valeur propre (cf. français *stagnation*) :
    ignorante, Ignacio.

H   N'est jamais aspiré :
    el hacha, Holanda.

LL   Cette lettre double a un son mouillé à peu près identique au français ***million*** :
    llamar, la calle, el pollo.

Attention !

    Ne pas confondre la prononciation de :
    malla ≠ maya
    Sevilla ≠ familia
    España ≠ ignorante

Ñ   (le signe ~ s'appelle tilde). Correspond au *gn* français de *Espagne* :
    España, el año.

R initial et RR

    Se prononcent roulés (plusieurs vibrations) :
    el rey, Ramón, el carro, el perro.

R à l'intérieur d'un mot

    N'a qu'une seule vibration ; sa prononciation est voisine du l :
    la cara, el loro.

S	Se prononce toujours comme *ss* français légèrement chuinté, même lorsqu'il est entre 2 voyelles : el sol, la rosa, la casa.
T	Se prononce toujours **t** : el gato, atraer, la tierra. Il n'a jamais la prononciation du français *nation* : el patio (comme le français *je tiens*).
X	Toujours prononcé **css**, jamais **gz** : el examen.

Les consonnes espagnoles ne se redoublent jamais, sauf C, R, L, N (que l'on retrouve dans le mot **CaRoLiNa**) avec bien sûr la lettre de l'alphabet LL :

la acción, el carro, la calle, la innovación.

5. *La ponctuation*

Elle est semblable à celle du français, sauf pour l'interrogation et l'exclamation où, en plus, l'espagnol place un point d'interrogation ou d'exclamation renversé devant le mot qui introduit la phrase interrogative ou exclamative :

¿ Qué hora es ? *(Quelle heure est-il ?)*
Aquel cantante, ¿ cómo se llama ? *(Ce chanteur, comment s'appelle-t-il ?)*
Durante nuestras vacaciones, ¡ qué sol ! *(Pendant nos vacances, quel soleil !)*

6. *L'accent tonique*

Il doit être nettement marqué à la prononciation : un mot mal accentué peut être incompréhensible ou avoir un sens différent.

Règles de l'accentuation

a) Si le mot ne porte pas d'accent écrit, il est normalement accentué
1. sur l'avant-dernière syllabe *(palabra llana)* s'il est terminé par une voyelle (ou une diphtongue), un **n** ou un **s** :

el libro, los libros, el examen, la crisis,
el individuo, la feria.

2. sur la dernière syllabe *(palabra aguda)* s'il est terminé par une consonne autre que **n** et **s** :

    el papel, el doctor, la pared, el convoy, el reloj.

b) Les mots qui n'obéissent pas aux règles précédentes doivent porter l'accent écrit sur la syllabe tonique :

    el árbol, el huésped, la lección, el café, el alcázar.

Les mots accentués sur l'antépénultième syllabe *(palabras esdrújulas)* portent toujours l'accent écrit :

    el médico, el fotógrafo, los árboles, miércoles, sábado,

ainsi que ceux où l'accent est encore reculé d'une place *(palabras sobreesdrújulas)* :

    cuéntamelo, dígasela, afirmándotelo.

Remarque :

A de rares exceptions près (el **ré**gimen, los reg**í**menes, el car**á**cter, los car**a**cteres), les mots espagnols conservent au pluriel l'accentuation qu'ils ont au singulier.

Cependant, on observera sur certains d'entre eux des apparitions ou des disparitions de l'accent écrit en application des règles précédentes :

    la nación, las naciones ; la virgen, las vírgenes.

L'accent écrit sert aussi à distinguer la nature grammaticale de certains homonymes (sans modifier leur prononciation) :

el, *le* (article)	él, *il, lui* (pronom personnel)
mi, *mon, ma* (adj. poss.)	mí, *moi* (pron. pers.)
tu, *ton, ta* (adj. poss.)	tú, *tu, toi* (pron. pers.)
este, ese, aquel (adj. démonst.)	éste, ése, aquél (pron. démonstr.)
se, *se* (pron. réfléchi)	sé, *je sais* (verbe)
si, *si* (conjonction)	sí, *oui* (adv.) ; sí, *soi* (pron. réfl.)
de, *de* (préposition)	dé, *que je donne* (verbe)
mas, *mais* (conjonction)	más, *plus* (adverbe)
solo, *seul* (adj.)	sólo, *seulement* (adverbe)
como, *comme* (conj.)	cómo, *comment* (adverbe)
que, quien, cual, cuan, cuanto... (relat. ou conjonctifs)	qué, quién, cuál, cuán, cuánto... (interrog. ou exclamatifs).

c) Accentuation des diphtongues

Voyelle forte + voyelle faible → accent sur la voyelle forte :

    baile, reuma, Port-Bou, diablo, cuerno.

Deux voyelles faibles → accentuation sur le deuxième élément :

    viuda, buitre.

L'article

7. L'article défini

	masculin	féminin	neutre
singulier	el	la	lo
pluriel	los	las	

El chico, los chicos, la muchacha, las muchachas, lo bueno.

Formes contractées :
$$\left\{ \begin{array}{ccccc} \mathbf{a} & + & \mathbf{el} & \rightarrow & \mathbf{al} \\ \mathbf{de} & + & \mathbf{el} & \rightarrow & \mathbf{del} \end{array} \right.$$

Vamos **al** teatro. *(Nous allons au théâtre.)*
La casa **del** doctor. *(La maison du docteur.)*

8. Emplois particuliers de el

a) **Par euphonie, la** → **el** devant un substantif féminin commençant par **a** (ou **ha**) accentué :
   el agua fresca *(l'eau fraîche)* ; **el** hacha afilada *(la hache aiguisée).*
Cette règle ne s'applique pas devant une lettre de l'alphabet (**la** « a », **la** « hache »), devant un nom propre de personne (**la** Ana, **la** Ángela) ni devant un adjectif (**la** alta torre). Ni, bien sûr, devant un **a** non accentué ou au pluriel :
   la amapola *(le coquelicot),*
   las aguas puras *(les eaux pures).*

b) **Devant un infinitif,** une forme verbale, un adverbe, un participe..., **el** sert à substantiver le mot :
   el comer, **el** hablar *([l'action] de manger, de parler),*
   el recibo *(le reçu),*
   el porqué *(le pourquoi),*
   el qué dirán *(le qu'en dira-t-on).*

c) **Devant une proposition** = « le fait que... » :

El que no me haya contestado me preocupa.

([Le fait] qu'il ne m'ait pas répondu m'ennuie.)

d) **Devant une proposition définitive :**

Creo que el no comer demasiado te sentará bien.

(Je pense que [le fait de] ne pas manger trop te fera du bien.)

9. Autres emplois de l'article défini

Il est utilisé pour traduire :

L'heure

es la una ; son las dos. *(Il est une heure ; il est deux heures.)*

Les jours de la semaine (lorsque sont sous-entendus les mots : pasado, último, próximo, que viene...)

Vendré el lunes (próximo). *(Je viendrai lundi [prochain]).*

Les mots Señor, Señora, Señorita

¿ Está el señor Pérez ? *(Monsieur Pérez est-il là ?)*

sauf dans les cas d'interpellation directe

¡ Buenos días, señor Pérez ! *(Bonjour, monsieur Pérez !)*

L'âge

Pedro se casó a los cuarenta años. *(Pierre se maria à quarante ans.)*

L'apposition

Yo, el infrascrito, declaro... *(Je soussigné, déclare...)*

Nosotros, los Españoles. *(Nous, les Espagnols.)*

Dans la tournure du possessif (cf. 38 D)

Se le estalló el neumático. *(Son pneu éclata.)*

Dans l'énumération (l'article n'est exprimé que devant le premier nom)

Sirven mucho el martillo, sierra y tenazas. *(Le marteau, la scie et les tenailles rendent de grands services.)*

10. Omission de l'article défini

a) **Avec les mots casa, caza, pesca, misa, clase, Palacio** (dans le sens de Palais Royal), **paseo, presidio :**

Vamos a misa. *(Nous allons à la messe.)*

El Rey sale de Palacio. *(Le Roi sort du palais.)*

Mandar a presidio. *(Envoyer au bagne.)*

sauf si ces mots sont déterminés par un complément ou un adjectif :

Iremos a la misa del gallo. *(Nous irons à la messe de minuit.)*

Visitamos el Palacio Real. *(Nous visitons le Palais Royal.)*

b) **Devant la plupart des noms de pays :**

España y Portugal *(l'Espagne et le Portugal)* ;
El clima de Francia *(le climat de la France)* ;
sauf s'ils sont déterminés par un complément ou un adjectif :
La España del Siglo de Oro. *(L'Espagne du Siècle d'Or.)*
El Portugal actual. *(Le Portugal actuel.)*

Exceptions : el Perú, la China, el Japón, el Canadá, la India, el Congo, el Brasil, el Uruguay, el Paraguay, el Salvador, el Ecuador, los Estados Unidos.

c) **Dans une expression superlative** après un article défini déjà exprimé :

Cervantes es el autor **más conocido** de España.
(Cervantes est l'auteur espagnol le plus connu.)

11. *L'article neutre* lo

Peut s'employer devant un adjectif pour lui donner une valeur de substantif (= *ce qui est...*).

Lo dicho, dicho. *(Ce qui est dit est dit.)*

Ou **une valeur pondérative** (= comme !, combien ! ; l'adjectif dans ce cas s'accorde avec le sujet) :

¡ No puedes imaginar lo guapa que es ! *(Tu ne peux pas savoir comme elle est jolie !)*

Lo que = ce que :

Lo que me dices. *(Ce que tu me dis.)*

Lo de = l'affaire, l'histoire, la question :

Lo del otro día. *(Ce qui s'est passé l'autre jour.)*

12. *L'article indéfini*

	masculin	féminin
singulier	un	una
pluriel	unos	unas

Un est la forme apocopée de l'adjectif numéral **uno** :
¿ Tienes un libro ? Si, tengo uno.

13. Emplois particuliers de l'article indéfini

a) Par euphonie, **una** → **un** devant un nom féminin commençant par **a** (ou **ha**) accentué :

> **un** arma de guerra *(une arme de guerre),*
> **un** haya *(un hêtre).*

Mêmes exceptions que pour l'article défini :

> **una** atalaya *(une tour de guêt),*

le **a** initial n'est pas accentué ;

> **unas** armas *(des armes),*

pas d'hiatus au pluriel.

b) Pour désigner les objets allant d'ordinaire par paires :

> Llevaba **unos** zapatos magníficos. *(Il portait des chaussures magnifiques.)*

Ou dans le sens de quelques-uns, quelques-unes :

> Había **unos** árboles en el patio. *(Il y avait quelques arbres dans la cour.)*

Pour traduire l'approximation :

> Era un señor de **unos** cuarenta años. *(C'était un monsieur d'environ quarante ans.)*

14. Suppression de l'article indéfini

a) L'indéfini pluriel, le partitif, ne se traduisent pas :

> Tenemos libros. *(Nous avons des livres.)*
> Comemos pan. *(Nous mangeons du pain.)*
> Quiero agua. *(Je veux de l'eau.)*

b) On n'emploie pas l'article indéfini devant les adjectifs **cierto, medio, otro, cualquiera, igual, tal, semejante**... :

> **media** hora *(une demi-heure)* ; **otro** día *(un autre jour).*
> Dame **otro** libro. *(Donne-moi un autre livre.)*
> Nunca he visto **semejante** cosa. *(Je n'ai jamais vu une chose pareille.)*

c) On omet souvent l'article indéfini devant les compléments de manière introduits par **con** :

> Hablaba **con** voz fuerte. *(Il parlait d'une voix forte.)*
> Anda **con** paso lento. *(Il marche d'un pas lent.)*

Le nom et l'adjectif

15. *Le genre du nom*

a) Sont masculins les noms terminés en :
• **o** : el libro, el río.
(exceptions : la mano, la nao, la seo... et les abréviations : la foto, la radio, la moto...) ;
• les noms terminés en **or** : el calor, el olor.
(exceptions : la flor, la coliflor, la sor, la labor) ;
• les noms de fleuves, de montagnes : el Sena, el Garona, el Amazonas, los Pirineos, los Andes... ;
• quelques noms en **a** (très souvent venus du latin ou du grec) et en **ista** :
el poeta, el problema, el mapa, el artista.

b) Sont féminins les noms terminés en :
• **a** : la casa, la barraca (sauf les exceptions indiquées ci-dessus) ;
• les noms en **tad** et **dad** : la libertad, la caridad ;
• les noms abstraits en **ción, sión, zón** : la revolución, la comisión, la razón...

Quelques noms peuvent être de l'un ou l'autre genre, et prendre, de ce fait, un sens différent : **arte, mar, orden :**

      el **arte** gótico, las bellas **artes,**
      el **mar** Mediterráneo, la alta**mar**, la baja**mar,**
      el **orden** de mi habitación, la **Orden** de Santiago,
      el **orden** románico, ¡ a la **orden** !

Certains noms changent de sens en changeant de genre :

      el cura *(le curé),* la cura *(la guérison)* ;
      el cometa *(la comète),* la cometa *(le cerf-volant)* ;
      el guía *(le guide),* la guía *(l'annuaire)* ;
      el frente *(le front [de guerre]),* la frente *(le front [du visage])* ;
      el policía *(le policier),* la policía *(la police).*

16. *Le genre de l'adjectif*

Prennent un **a** au féminin les adjectifs terminés au masculin en :
- **o** : puro, pura ; blanco, blanca ;
- **án, ín, ón** : holgazán, holgazana ; chiquitín, chiquitina ; respondón, respondona ;
- **dor** : trabajador, trabajadora ;
- **ote** : grandote, grandota ;
- **ete** : regordete, regordeta ;
- les adjectifs dérivés d'un nom de pays, de province, de ville :
español, española ; inglés, inglesa ; andaluz, andaluza ;
- et, bien sûr, les adjectifs déjà terminés en **a** au masculin :
belga, persa, etc.

Tous les autres adjectifs ont la même forme au masculin et au féminin :
verde → verde ; cortés → cortés ; eficaz → eficaz ; fácil → fácil.

17. *Accord de l'adjectif*

Même règle que pour les noms. L'adjectif s'accorde toujours. L'accord avec le nom le plus rapproché est le cas le plus fréquent.

> Le atrajo con mucha fuerza y decisión.

18. *Formation de certains adjectifs*

Quelques adjectifs sont obtenus par fusion d'un nom et d'un adjectif :

> boquiabierto = que tiene la **boca abierta** *(qui reste bouche bée) ;*
> pelirrubio, pelirrojo = con el **pelo rubio, rojo** *(blond, roux) ;*
> cejijunto = con las **cejas juntas** *(qui a les sourcils très fournis).*

19. *Pluriel du nom et de l'adjectif*

a) Pluriel en **s**.
- Mots terminés par une voyelle atone :
la casa blanca, las casas blancas.
- Mots terminés par un **é, á** ou **ó** accentué :
el café, el carné ; los cafés, los carnés.
el papá, la mamá, el sofá, el dominó, el landó ;
los papás, las mamás, los sofás, los dominós, los landós.

b) Pluriel en **es.**

• Mots terminés par une consonne, un **y**, un **í** ou un **ú** accentués :

la pared azul *(le mur bleu)* ; las paredes azules ; el rubí, los rubíes ; el tisú, los tisúes ;

(exception : el lord, los lores).

c) Ont un pluriel en **ces,** les mots terminés par **z** :

una vez *(une fois),* dos veces ;

la codorniz *(la caille),* las codornices ;

un juez feroz *(un juge féroce),* unos jueces feroces ;

un capataz feliz *(un contremaître heureux),* unos capataces felices.

d) Pluriel des mots terminés en **s.**

• Ils ont le pluriel en **es** s'ils sont monosyllabiques ou accentués sur la dernière syllabe :

res, reses ; mes, meses ; el interés, los intereses.

• Les mots à plusieurs syllabes restent invariables s'ils ne sont pas accentués sur la dernière syllabe :

la tesis *(la thèse),* las tesis ; la crisis *(la crise),* las crisis ; el lunes *(le lundi),* los lunes.

• Certains noms peuvent avoir un sens différent selon qu'ils sont au singulier ou au pluriel :

la corte *(la cour d'un monarque...),* las Cortes (le Parlement) ;

el celo *(le zèle),* los celos *(la jalousie)* ;

el padre *(le père),* los padres *(les parents).*

D'autres noms ne s'emploient qu'au pluriel :

los alrededores, las afueras, las entrañas, las nupcias, las gafas, las exequias, las tinieblas, las tijeras, etc.

(les alentours, la banlieue, les entrailles, les noces, les lunettes, les obsèques, les ténèbres, les ciseaux).

e) Pluriel des **noms composés.**

• Ce pluriel varie selon les mots qui composent le nom :

Deux noms

Nom + adjectif   } variable à la terminaison

Verbe + nom

el camposanto, los camposantos *(les cimetières)* ;

la telaraña, las telarañas *(les toiles d'araignée)* ;

el quitasol, los quitasoles *(les parasols).*

• Pas de changement si le composé est déjà au pluriel :

el limpiabotas *(le cireur de chaussures),* el sacacorchos *(le tire-bou-chons),* el pararrayos *(le paratonnerre).*

• Adjectif + nom = doublement variable :

gentilhombre, gentileshombres *(les gentilshommes).*

• Pronom + verbe = le premier élément est variable :

cualquiera, cualesquiera *(quelconque)* ;

quienquiera, quienesquiera *(quiconque).*

Les suffixes

20. Suffixes diminutifs

Très fréquents en espagnol, ils affectent aussi bien des noms, des adjectifs que des noms propres. Ils donnent une idée de petitesse ou ont une valeur affective :

-ito, a :	muchacho, a ;	muchach**ito, a**
	guapo, a ;	guap**ito, a**
	Juan, Juana ;	Juan**ito**, Juan**ita**
	pobre ;	pobre**cito, a**
-illo, a :	pan ;	pane**cillo**
	molino ;	molin**illo**
-ecillo, a :	piedra ;	piedr**ecilla**
	cuerda ;	cuerd**ecilla**
-uelo, a :	mozo ;	moz**uelo**
-ico, a :	Pedro ;	Per**ico**

Formation des diminutifs

mots terminés en	diminutifs	
o, a consonne sauf **n, r**	-ito -illo -uelo	muchacho ; muchach**ito** chico ; chiqu**illo** mozo ; moz**uelo**
e - n, r	-cito -cillo -zuelo	pobre ; pobre**cito** hombre ; hombre**cillo** mujer ; mujer**zuela** (péjor.)
mots à une syllabe ou à diphtongue	-ecillo -ecito -ezuelo	pan ; pane**cillo** huevo ; hueve**cito** huesco ; ose**zuelo**

N.B. : Ces différents emplois ne sont pas toujours interchangeables ; seul l'usage permettra de différencier chacun d'eux.

21. *Autres diminutifs*

-ato, -ezno, -ucho, -ino, -uelo, -ucho (pour désigner les petits des animaux) :

lobato (lobo, *loup*) ; aguilucho (águila. *aigle*) ; jabato (jabalí, *sanglier*) ; osezno (oso, *ours*) ; palomino (paloma, *colombe*).

-ajo, -ejo, -uco, -isco, -ucho (donnent un sens péjoratif au mot) :

animalejo *(bestiole)* → animal ;
casucha *(masure)* → casa.

22. *Suffixes augmentatifs*

Idée de grandeur, de force : **-ón, -azo, -ote** (avec, très souvent, une intention péjorative) :
-ón, -ona :

cucharón (cuchara, *cuiller*) ; solterón (soltero, *célibataire*) ;

-azo, -a :

ojazos (ojos, *yeux*) ;

-ote, -ota :

grandote (grande, *grand*) ; amigote (amigo, *ami*).

Idée de grandeur excessive, de lourdeur, de vulgarité : **-acho, -achón :**
ricachón *(richard)* → rico ; populacho *(populace)* → pueblo ; picacho *(pic de montagne)* → pico ; bonachón *(bonasse,* adj.) → bueno.

23. *Suffixes exprimant l'idée de « coup »*

-ada s'emploie généralement pour un coup donné avec un instrument tranchant :

puñal → puñalada *(coup de poignard)* ;
estoque → estocada *(coup d'épée)* ;
cuchillo → cuchillada *(coup de couteau)* ;
lanza → lanzada *(coup de lance).*

-azo pour les coups de feu ou les coups donnés avec un instrument contondant :

martillo → martillazo *(coup de marteau)* ;
cañón → cañonazo *(coup de canon)* ;
arcabuz → arcabuzazo *(coup d'arquebuse)* ;
puerta → portazo *(claquement de porte).*

Cette distinction n'est pas absolue :
> un sabl**azo** *(un coup de sabre)* ; una pat**ada** *(un coup de pied)* ;
> un hach**azo** *(un coup de hache)* ; una bofet**ada** *(une gifle).*

24. Suffixes collectifs

-al indique une quantité, une accumulation :
> un pedreg**al** *(un tas de pierre)* ;
> un aren**al** *(une sablière)* ;
> un zarz**al** *(une ronceraie).*

Il s'emploie le plus souvent pour désigner un lieu planté :
> un trig**al**, un patat**al**, un maiz**al** *(un champ de blé, de pommes de terre,*
> *de maïs).*

D'autres suffixes ont la même valeur : **-ar, -eda, -edo, edal :**
> un oliv**ar** *(une oliveraie)* ; un pin**ar** *(une pinède)* ;
> una alam**eda** *(une promenade* [plantée de peupliers]) ;
> un viñ**edo** *(un vignoble)* ; un robl**edal** *(une chênaie).*

Les comparatifs

25. Comparatifs de supériorité et d'infériorité

• **Más... que...**
   Soy **más** alto **que** tú. (*Je suis plus grand que toi.*)
• **Menos... que...**
   Hace **menos** frío **que** ayer. (*Il fait moins froid qu'hier.*)
• Si le deuxième terme de la comparaison est un verbe conjugué, on emploie **de lo que** pour traduire le *que* français (*ne* ne se traduit pas).
   Es más alto **de lo que** yo creía. (*Il est plus grand que je ne pensais.*)
• Si la comparaison s'exerce sur un nom, on substitue à **lo** l'article qui correspond à ce nom :
   Este problema exige más paciencia de **la** que tienes. (*Ce problème exige plus de patience que tu n'en as.*)

Plus... que... ne	→	Más... de lo que
Moins... que... ne	→	Menos... de lo que

• **Comparatifs irréguliers :**
   bueno → **mejor** ; malo → **peor** ; grande → **mayor** ;
   pequeño → **menor** ; alto → **superior** ; bajo → **inferior**.

26. Comparatif d'égalité

a) Avec un verbe → invariable : **tanto... como.**
   Trabajo **tanto como** tú. (*Je travaille autant que toi.*)

b) Devant un nom → accord : **tanto, os, a as... como.**
   Hoy hay **tanta** gente **como** ayer. (*Il y a autant de monde aujourd'hui qu'hier.*)

c) Devant un adjectif ou un adverbe → apocope de **tanto** → **tan.**
   Soy **tan** fuerte como tú. (*Je suis aussi fort que toi.*)
   Trabajo **tan** rápidamente como tú. (*Je travaille aussi vite que toi.*)

27. "Autant... autant"

Autant... autant se traduit normalement par :
tanto, os, a, as...
cuanto, os, a, as... } ... tanto, os, a, as

> **Tantos** días, **tantas** penas. *(Autant de jours, autant de peines.)*

Mais cette construction est généralement remplacée par :
tan, tanto, os, a, as... como

> Hay **tantas** naciones **como** ideologías. *(Autant de nations, autant d'idéologies.)*

> La odia ahora **tanto como** la amaba antes. *(Autant il la hait maintenant, autant il l'aimait avant.)*

> El hijo era **tan** desagradable **como** el padre era simpático. *(Autant le père était sympathique, autant le fils était désagréable.)*

28. "Plus... plus, moins... moins"

a) Avec un verbe :

cuanto { más / menos	... (tanto) { más / menos

(Le second terme **tanto** entre parenthèses peut être omis.)

> **Cuanto más** estudiaba, **(tanto) menos** sabía. *(Plus il étudiait, moins il savait.)*

b) Avec un nom :

cuanto, os, a, as { más / menos	... (tanto, os, a, as) { más / menos

> **Cuanto más** amigos tiene, **(tantos) más** quiere tener. *(Plus il a d'amis, plus il veut en avoir.)*
> **Cuanto más** cuidaba sus flores, **más** hermosas eran éstas. *(Plus il soignait ses fleurs, plus celles-ci étaient belles.)*

c) Avec un adjectif :
Comme on l'a vu précédemment, on a tendance, dans la langue moderne, à ne plus faire l'apocope de **cuanto** et de **tanto.**

Cuanto más contento está, **(tanto) más** amable se muestra. *(Plus il est content, plus il se montre aimable.)*

29. "D'autant plus... que d'autant moins... que"

a) Valeur comparative.

Elle se traduit par :

tanto, os, a, as	{ más menos	... (cuanto, os, a, as)	{ más menos

(avec la flexibilité habituelle de *tanto* et de *cuanto* selon leur fonction).

Es **tanto más** trabajador **cuantas más** disposiciones tiene para ello. *(Il est d'autant plus travailleur qu'il a de dispositions pour cela.)*
Compra **tantos más** libros **cuanto más** dinero tiene. *(Il achète d'autant plus de livres qu'il a plus d'argent.)*
Cuanto **más** dinero tiene, **más** libros compra.

b) Valeur explicative :
Tanto más que
Tanto más cuanto que
Cuanto más que

Le acogeré en casa, **tanto más cuanto que** es muy simpático. *(Je le recevrai chez moi, d'autant plus qu'il est très sympathique.)*

On trouve de plus en plus aujourd'hui :
Le acogeré en casa **máxime que** es muy simpático.

Les superlatifs

30. Superlatif relatif

On emploie le comparatif de supériorité ou d'infériorité (**más, menos, mejor, peor,** etc.) précédé de l'article défini ou d'un autre déterminatif :

el **más** fuerte del pueblo ; **mi mejor** amigo.

Après un substantif déjà déterminé, le superlatif perd l'article.

El día **más** caluroso del verano. *(Le jour le plus chaud de l'été.)*

Après le superlatif, le verbe est à l'indicatif :

Es el chico **más** simpático que nunca **he encontrado.** *(C'est le garçon le plus sympathique que j'aie jamais rencontré.)*

31. Superlatif absolu

Emploi (le plus fréquent) de **muy** devant l'adjectif ou emploi de la terminaison en **-ísimo** (forme latine plus littéraire) :

Una chicha **muy** guapa ; una chica guap**ísima.** *(Une jeune fille très belle.)*

Superlatifs irréguliers

a) Modification graphique pour conserver le son de la consonne finale du radical :

rico, riqu**ísimo** *(très riche) ;* largo, largu**ísimo** *(très long) ;* feliz, felic**ísimo** *(très heureux).*

b) Forme latine (un peu recherchée) :

adj. en **ble**	amable,	ama**bilísimo**	*(très aimable)*
→ **-bilísimo**	noble,	no**bilísimo**	*(très noble)*

adj. en **bre**	pobre,	pau**pérrimo**	*(très pauvre)*
→ **-bérrimo**	libre,	li**bérrimo**	*(très libre)*

adj. en **cre**	acre,	a**cérrimo**	*(très âcre)*
→ **-érrimo**			

c) Disparition de la diphtongue (par déplacement de l'accent) :

fuerte, fort**ísimo** *(très fort).*

L'apocope

32. Uno, bueno, malo...

Les adjectifs **uno, bueno, malo, alguno, ninguno, primero, tercero, postrero** perdent leur *o* final devant **un nom masculin singulier ;** même si un autre adjectif se trouve interposé :

un **buen** chico *(un bon garçon) ;* un **mal** alumno *(un mauvais élève) ;*
el **tercer** día *(le troisième jour) ;*
¿ tienes **algún** trabajo ? *(as-tu du travail ?)*
no tengo **ningún** interés *(je n'ai aucun intérêt) ;*
el **postrer** año *(la dernière année).*

N.B. : L'apocope n'a pas lieu si l'adjectif est placé après le nom ou s'il est seul (emploi pronominal) :

¿ Quieres **un** cigarillo ? – Sí, dame **uno.** *(Veux-tu une cigarette ? – Oui, donne-m'en une.)*
¿ Tienes **algún** problema ? - No, **ninguno.** *(As-tu quelque problème ? – Non, aucun.)*

33. Ciento, santo, grande...

a) **Ciento** → **cien :**

• devant **un nombre qu'il multiplie :**
cien mil hombres ;

• devant **un substantif masculin ou féminin ;**
cien francos ; **cien** pesetas ; (mais : **ciento** cuarenta).

b) **Santo** → **San :**

• devant **un nom masculin :**
San Andrés ; **San** Pablo ; **San** Cristóbal...

Exceptions : Santiago, Santo Tomás, Santo Tomé, Santo Domingo, Santo Toribio.
L'apocope ne se produit pas au féminin : Santa Ana, Santa María, etc.

c) **Grande → gran :**

• devant un nom masculin ou féminin (sens figuré) :
un **gran** artista, la **Gran** Vía.

Au sens propre, pour indiquer la dimension, la taille, **grande** peut se placer après le nom, donc sans apocope :
una **gran** casa *(une grande maison* [par son importance commerciale par exemple ou sa catégorie sociale]*)*
una casa **grande** *(une grande maison* [par ses dimensions]*).*

d) **Cualquiera → cualquier :**

devant un substantif masculin ou féminin :
cualquier día ; **cualquier** cosa.
Placé après le nom, **cualquiera** a souvent un sens péjoratif :
un hombre **cualquiera** *(un homme quelconque).*

e) **Recientemente → recién :**

devant un participe passé masculin, féminin, singulier ou pluriel :
un **recién** nacido *(un nouveau-né) ;* una **recién** venida *(une nouvelle venue) ;* los **recién** casados *(les nouveaux mariés) ;* una casa **recién** construída *(une maison récemment construite),* etc.

f) **Tanto → tan ; cuanto → cuan :**

• devant un adjectif masculin ou féminin,
• ou devant un adverbe (exclamation) :
tan fácil ; **tan** amablemente *(si facile ; si aimablement).*
¡ **Cuán** feliz soy ! ¡ **Cuán** rápidamente trabaja ! *(Comme je suis heureux ! Comme il travaille vite !)*

La numération

34. Adjectifs numéraux cardinaux

Les adjectifs numéraux sont invariables sauf
{ **uno**
les centaines
les millions

las **cuatro** estaciones *(les quatre saisons)* ;
las **mil y una** noches *(les mille et une nuits)* ;
(mais **doscientas** pesetas).

La conjonction **y** se place seulement entre les dizaines et les unités.
cuarenta y tres (mais : **ciento uno**).

Ciento → **cien** devant { nom masculin ou féminin
nombre qu'il multiplie (cf. l'apocope).

Uno → **un** devant un nom masculin (cf. l'article) :
Un mes de **treinta y un** días.

En application des règles précédentes, on peut lire les nombres suivants :
12 478 pesetas : **doce mil cuatrocientas setenta y ocho pesetas.**
6 408 francs : **seis mil cuatrocientos ocho** francos.

Attention : 1 millar = *un millier ;* mil millones = *un milliard.*

35. Adjectifs numéraux ordinaux

1er : primero	17e : décimo séptimo
2e : segundo	18e : décimo octavo
3e : tercero	19e : decimonono
4e : cuarto	20e : vigésimo
5e : quinto	21e : vigésimo primero
6e : sexto	22e : vigésimo segundo...
7e : séptimo	30e : trigésimo
8e : octavo	31e : trigésimo primero...
9e : noveno	40e : cuadragésimo
10e : décimo	41e : cuadragésimo primero...
11e : undécimo	50e : quincuagésimo...
12e : duodécimo	60e : sexagésimo...
13e : décimo tercero	70e : septuagésimo...
14e : décimo cuarto	80e : octogésimo...
15e : décimo quinto	90e : nonagésimo...
16e : décimo sexto	100e : centésimo

• Les ordinaux s'accordent en genre et en nombre avec le substantif :
la **trigésima tercera** (*la 33ᵉ*).
• Dans la pratique, ils ne s'emploient guère que jusqu'à **vigésimo** (plus
centésimo et **milésimo**). On emploie plutôt le cardinal après le nom :
el día **doscientos cuarenta y dos** del año (*le 242ᵉ jour de l'année*).

Emplois :

a) Pour les noms de souverains, de papes, pour les titres de chapitres, on
emploie l'**ordinal** jusqu'à 10 inclusivement :
´ Felipe **Segundo** ; Alejandro **Sexto** ; el capítulo **cuarto**.
(Philippe II ; Alexandre VI ; le chapitre IV).

A partir de 11, on emploie le cardinal :
Alfonso **Doce** ; el capítulo **veinticinco**.
(Alphonse XII ; le chapitre XXV).

b) Pour les siècles, on emploie presque toujours le cardinal :
el siglo **dieciocho** (*le 18ᵉ siècle*).

36. Les fractions

> 1/2 : medio, a (media hora ; medio litro).
> **La moitié : la mitad.**
>
> 1/3 : el tercio **ou** la tercera parte.
>
> 1/4 : el cuarto **ou** la cuarta parte.
>
> 1/5 : el quinto **ou** la quinta parte.

Du 1/6 au 1/10, on emploie l'ordinal au féminin suivi de **parte :**
3/8 : las tres **octavas partes** ;
5/9 : las cinco **novenas partes.**
Au-delà de 10, on emploie comme dénominateur le cardinal suivi du suf-
fixe **-avo** (peu usité) :
3/22 : los tres veintidos**avos** ;
8/42 : los ocho cuarenta y dos**avos.**

37. Collectifs et distributifs

a) L'approximation.
Emploi de **unos, unas** (cf. article indéfini) :
> Un pueblo de **unas** cuarenta casas. *(Un village de quelque quarante maisons.)*

ou de **como :**
> Un señor de **unos** cincuenta años.
> Un señor **como** de cincuenta años.
> *(Un homme d'environ cinquante ans.)*

b) Ambos, as.
S'emploie pour deux personnes ou deux choses dont on a déjà parlé :
> Pedro y Pablo son amigos ; **ambos** son simpáticos.
> *(Pierre et Paul sont deux amis ; ils sont tous deux sympathiques.)*

S'emploie aussi comme adjectif pour les choses qui vont par paires :
> **ambos** brazos *(les deux bras).*

c) Sendos, as (du latin **singuli).**
Distributif pluriel s'appliquant à un seul objet pour chaque possesseur envisagé dans le groupe *(chacun, chacune).*
> Los estudiantes leían en **sendos** libros.
> *(Les étudiants lisaient, chacun dans son livre.)*

Les possessifs

38. *Adjectifs possessifs*

Formes atones		Formes accentuées
mi, mon, ma	mis, mes	mío, a, os, as, mien, à moi
tu, ton, ta	tus, tes	tuyo, ... tien, à toi
su, son, sa	sus, ses	suyo, ... sien, à lui
nuestro, a, notre	nuestros, as, nos	nuestro, ... notre, à nous
vuestro, a, votre	vuestros, as, vos	vuestro, ... votre, à vous
su, leur	sus, leurs	suyo, ... leur, à eux

a) Les possessifs **mi, tu, su...** précèdent toujours le nom :
   mi amigo ; **tu** madre.

b) **Mío, tuyo...** se placent toujours après le nom et ont d'ordinaire un sens plus familier :
   un amigo **mío** ;
   ¡ Dios **mío** ! (exclamation) ;
   Muy señor **mío** *(cher Monsieur* [style épistolaire]*).*

c) **Mío, tuyo, ...**, employés avec le verbe **ser** traduisent *à moi, à toi, ...*
   Este disco es **tuyo** *(ce disque est à toi.)*

Il faut se souvenir que les possessifs (adjectifs et pronoms) doivent correspondre aux personnes de la conjugaison :
   (Vosotros) tenéis **vuestros** libros. *(Vous avez vos livres.)*
   Vd está en **su** casa. *(Vous êtes chez vous.)*

On a souvent recours pour **Vd** et **Vds** à la tournure pléonastique
su ... de usted, sus ... de ustedes pour éviter la confusion avec la troisième personne : de él, de ella.

   Su tía **de Vd** tiene muy mal genio, Señora. *(Votre tante a très mauvais caractère, Madame.)*

   Su tía tiene muy mal genio pourrait signifier tout simplement *Sa tante* [à lui, à elle] *a très mauvais caractère.*

d) Traduction du possessif par l'article et la forme réfléchie (cf. le français : *je me lave les dents...*) :

> El maestro **se** puso **las** gafas (et non pas : puso sus gafas). *(Le maître mit ses lunettes.)*
>
> **Se le** cayó el plato de **las** manos. *(L'assiette lui tomba des mains.)*

39. *Pronoms possessifs*

Forme accentuée de l'adjectif précédée de l'article :

el, la, los, las	mío, mía, míos, mías. tuyo, tuya, tuyos, tuyas. suyo, suya, suyos, suyas. nuestro, nuestra, nuestros, nuestras. vuestro, vuestra, vuestros, vuestras. suyo, suya, suyos, suyas.

Son emploi correspond à celui du pronom possessif français.

> Estos discos son los **suyos.** *(Ces disques sont les siens.)*

Ou : son **de él** (pour éviter l'équivoque avec *usted*) ; son **de ellos** (pour éviter l'équivoque avec *ustedes*).

Les démonstratifs

L'espagnol a trois démonstratifs : **este, ese, aquel** (et leurs accords). Ils peuvent être adjectifs ou pronoms. Les pronoms se distinguent des adjectifs par la présence d'un accent écrit avec une légère insistance dans la prononciation.

40. Adjectifs démonstratifs

Normalement **este** = le démonstratif de la 1re pers. (yo, nosotros) ;
     ese = le démonstratif de la 2e pers. (tú, vosotros) ;
     aquel = le démonstratif de la 3e pers. (él, ella).

Les démonstratifs espagnols s'emploient en fonction de l'éloignement ou de la proximité entre la personne qui parle et la personne, ou l'objet désigné. Cette relation vaut aussi bien pour l'espace que pour le temps :

 este día *(ce jour-ci* [aujourd'hui]*) ;*
 aquel día *(ce jour-là* [il y a longtemps]*).*

	singulier	pluriel	situation	personnes
masculin féminin	este, ce, cet esta, cette	estos, ces estas, ces	aquí, ici	yo nosotros
masculin féminin	ese, ce, cet esa, cette	esos, ces esas, ces	ahí, allí, là	tú, usted vosotros, ustedes
masculin féminin	aquel, ce, cet aquella, cette	aquellos, ces aquellas, ces	allá, là-bas	él, ella ellos, ellas

41. *Pronoms démonstratifs*

Ils portent l'accent écrit, sauf les pronoms neutres pour lesquels il n'y a pas de confusion possible.
Les remarques sur l'éloignement ou la proximité dans l'espace et dans le temps que l'on a faites sur les adjectifs sont valables pour les pronoms démonstratifs :

masculin	féminin	neutre
éste, celui-ci éstos, ceux-ci	ésta, celle-ci éstas, celles-ci	esto, ceci
ése, celui-là ésos, ceux-là	ésa, celle-là ésas, celles-là	eso, cela, ça
aquél, celui-là aquéllos, ceux-là	aquélla, celle-là aquéllas, celles-là	aquello, cela

a) Le choix du pronom permet d'apporter certaines précisions :
Pedro y Antonio son amigos ; **éste** es rubio, **aquél** es moreno.
(Pierre et Antoine sont des amis ; celui-ci [Antonio] *est blond, celui-là* [Pedro] *est brun.)*

b) Dans le style épistolaire, **ésta** désigne la ville de celui qui écrit et **ésa,** celle de son correspondant :
¿ Qué tiempo hace en **ésa** ? En **ésta**, maravilloso. *(Quel temps fait-il [là-bas, dans cette ville] ? Ici, merveilleux.)*

c) **A eso** de las dos *(vers deux heures).*
Esto es *(c'est-à-dire).*
Eso es *(c'est cela).*
En esto *(sur ce, sur ces entrefaites, à ce moment).*

d) Traduction de :

celui, celle... de celui, celle... qui ce... qui	el... de, la... de. el... que, la... que lo... que.

Ésta es mi casa, **la del** notario es aquélla. *(Voici ma maison, celle du notaire est celle-là, là-bas.)*
Dime **lo que** haces. *(Dis-moi ce que tu fais.)*

42. "C'est, ce sont..."

Le pronom *c', ce,* ne se traduit pas :
> Hoy es domingo. *(C'est aujourd'hui dimanche.)*
> Son los padres de Pablo... *(Ce sont les parents de Paul.)*

Si l'on veut insister, le démonstratif s'accorde alors avec l'attribut (traduction de *voici*).
> Éstas son mis últimas voluntades. *(Voici* [telles sont] *mes dernières volontés.)*

43. "C'est moi..."

Accord du verbe **ser** avec le pronom sujet :
> Soy yo *(c'est moi) ;* éramos nosotros *(c'était nous).*

C', sujet apparent, ne se traduit pas :
> Los responsables somos nosotros. *(C'est nous les responsables.)*

44. "C'est... qui..."

Le relatif qui suit **c'est...** se traduit par **quien, el que, el cual,** s'il s'agit de personnes et par **el que, el cual,** s'il s'agit de choses.
> Fue Colón **quien** descubrió un nuevo mundo. *(C'est Colomb qui découvrit un nouveau monde.)*
> Son los coches rápidos **los que** resultan más peligrosos. *(Ce sont les voitures rapides qui sont les plus dangereuses.)*

Le relatif **el cual** s'emploie plutôt lorsqu'il a été séparé de son antécédent par une virgule ou par un membre de phrase. Le verbe **ser** se met au même temps que le verbe de la proposition relative.
> El juez fue quien interrogó al hombre, **el cual** no quiso contestar. *(C'est le juge qui interrogea l'homme, lequel ne voulut pas répondre.)*

45. "C'est... que..."

a) Selon que l'expression française souligne une idée de temps, de lieu ou de manière, elle se traduira par :
es... cuando ; es... donde ; es... como.

En junio **es cuando** los días son más largos. *(C'est en juin que les jours sont les plus longs.)*

En París fue **donde** le encontré. *(C'est à Paris que je l'ai rencontré.)*

Así **es como** hay que trabajar. *(C'est comme cela qu'il faut travailler.)*

b) Répétition de la préposition qui précède **que :**

De él es de quien hablamos. *(C'est de lui que nous parlons.)*

c) La préposition **a** du complément direct de personne se répète également.

A ella es a quien amo. *(C'est elle que j'aime.)*

d) Si l'antécédent désigne des choses, il peut être traduit par le neutre **lo que.**

De mis años de juventud es de **lo que** más me acuerdo. *(C'est de mes années de jeunesse dont je me souviens le mieux.)*

46. *"Voici, voilà"*

Ils se traduisent par **he aquí, he allí, he ahí, he allá.**

Le pronom personnel ne peut être qu'enclitique (soudé au verbe) :

heme aquí ; hete allí *(me voici, te voilà !).*

La tournure **hete** s'emploie dans un sens familier *(voici que, le voilà qui...) :*

hételo aquí que...

Mais on emploie plus facilement d'autres formules pour traduire l'identité : **éste es, ése es, eso es...**

Ésta es mi obra. *(Voici mon œuvre).*

Esto es lo que se llama hablar. *(Voilà qui s'appelle parler...)*

ou pour situer la personne ou l'objet : **aquí está...**

Aquí está tu maleta, ahí está la mía. *(Voici ta valise, voilà la mienne.)*

ou bien encore pour présenter l'objet (en le remettant à quelqu'un par exemple) : **aquí tienes..., aquí tiene** usted...

Aquí tienes tu dinero. *(Voici ton argent.)*

enfin s'il y a mouvement : **aquí viene, ahí viene :**

Ahí viene Pedro. *(Voilà Pierre.)*

Les relatifs
La proposition relative

Tableau des pronoms relatifs :

singulier	pluriel
que (el que, la que, lo que)	que (los que, las que)
quien	quienes
el cual, la cual, lo cual	los cuales, las cuales
cuyo, cuya	cuyos, cuyas

47. Que

C'est le plus employé des pronoms relatifs. Il peut avoir comme antécédent des personnes ou des choses, être sujet ou complément (à condition de ne pas être séparé de l'antécédent par une préposition ou une virgule).

a) **Sujet** (français *qui*).

> La cosa **que** me importa más. *(La chose qui m'importe le plus.)*
> El libro **que** me divirtió. *(Le livre qui m'a diverti.)*
> El cliente **que** entró en la tienda. *(Le client qui est entré dans la boutique.)*

b) **Complément**

Complément direct (français *que*).

> Lee los libros **que** ha comprado. *(Il lit les livres qu'il a achetés.)*
> Las personas **que** vd vio. *(Les personnes que vous avez vues.)*

Complément indirect. Emploi de **que** si l'antécédent est déterminé.

> Por el lado en **que** me encontraba. *(Du côté où je me trouvais.)*

Emploi de **el que** si l'antécédent est indéterminé.

> Un sillón en **el que** me siento. *(Un fauteuil dans lequel je m'assieds.)*

(cf. emploi de **el que**).

c) **Remplacement du *qué* interrogatif par l'interrogation indirecte.**

> Dime : ¿ Qué hora es ? Dime la hora **que** es. *(Quelle heure est-il ? Dis-moi l'heure qu'il est.)*

48. El cual, la cual

Employé pour les personnes et les choses. On lui préfère d'ordinaire **el que, la que.**

a) Employé souvent comme simple *démonstratif :*
> Llamó à la puerta de su vecina, **la cual** no contestó. *(Il frappa à la porte de sa voisine ; **celle-ci** ne répondit pas.)*

b) Il est en concurrence avec **el que** après les prépositions **desde, entre, sobre, bajo, debajo de, tras, detrás de, encima de, sin, delante de...**
> Penetró en la cueva dentro de **la cual** estaba el oso. *(Il pénétra dans la caverne à l'intérieur de laquelle se trouvait l'ours.)*

c) Le neutre **lo cual** correspond à un antécédent qui est un verbe ou toute une proposition (français : *ce qui, ce que, quoi,* etc.) :
> Saludó a todos, después de **lo cual** se marchó. *(Il salua tout le monde, après quoi, il s'en alla.)*

49. Quien, quienes

Ne peut avoir comme antécédent que des personnes. On l'emploie :

a) Comme sujet exclamatif (donc avec accent) :
> ¡ **Quién** supiera escribir ! *(Ah ! si je savais écrire !)*

Antécédent non exprimé (= celui qui) :
> **Quien** no ha visto a Sevilla no ha visto maravilla. *(Qui n'a pas vu Séville n'a pas vu de merveille.)*

b) Dans la fonction de complément direct, il est toujours précédé de la préposition **a** selon la règle du complément d'objet direct représenté par une personne :
> Aquella señora **a quien** usted tanto amó. *(Cette femme que vous avez tant aimée.)*

c) Quand le relatif, faisant partie d'une proposition simplement explicative, est séparé de son antécédent par une virgule :
> Le esperamos bajo las ventanas de Ramona, **quien** vive en la calle Mayor. *(Nous l'attendîmes sous les fenêtres de Raymonde, qui demeure dans la Grand'Rue.)*

d) Quand le pronom relatif est complément d'objet indirect et est séparé de son antécédent par une préposition : **a, de, sin, con, por, para :**
> Es la chica **con quien** bailó Juan. *(C'est la jeune fille avec qui Jean a dansé.)*
> Es una mujer **para quien** todo toma mucha importancia. *(C'est une femme pour qui tout prend beaucoup d'importance.)*

50. *El que, la que, los que, las que*

Cette forme du relatif peut très souvent remplacer **quien.**

a) S'emploie particulièrement quand l'antécédent n'est pas déjà précédé de l'article (cf. *que b*).
Cette règle n'est pas rigoureuse ; on peut trouver **el que...** lorsque l'article a déjà été employé, surtout dans le cas où l'article est devenu complément de lieu :

> Se veía una plazoleta en la que bailaba la gente. *(On voyait une petite place où les gens dansaient.)*

b) Quand la proposition relative sert à donner une précision, une explication (cas fréquent où le relatif est placé après une virgule, cf. *quien c*).

> La relación de las aventuras de don Quijote, **en la que** los lectores vulgares sólo ven un asunto de entretenimiento, es un libro moral.
> *(Le récit des aventures de don Quichotte, où les lecteurs ordinaires ne voient qu'un sujet d'amusement, est un livre moral.)*

51. *Cuyo, cuya, cuyos, cuyas*

Cuyo est relatif et déterminatif (correspond au français *dont le, dont la, dont les*).
Il s'accorde avec le nom dont il est complément et il le précède immédiament, sans article :

> Es una biblioteca **cuyos** libros son numerosos. *(C'est une bibliothèque dont les livres sont nombreux.)*

La traduction par **cuyo, ...** doit donc répondre à deux conditions :
• un rapport d'appartenance,
• la présence du déterminatif (français *dont le, dont la, dont les*) :

> Un señor **cuyos** hijos viven en Argentina. *(Un monsieur dont les enfants habitent en Argentine.)*

La flexibilité de l'espagnol permet encore l'emploi de **cuyo** par le recours à une inversion :

> Un pueblo **cuyo** nombre conoces. *(Un village dont tu connais le nom* [= *dont le* nom...].*)*

Quand **dont** est complément d'un verbe ou d'un adjectif, on ne peut pas le traduire par **cuyo.** On emploie dans ce cas :

pour les personnes	de quien, de quienes de que, del que, de los que, de la que, de las que del cual, de los cuales, de la cual, de las cuales	pour les choses

El no conocía al señor **de quien** le hablaba. *(Il ne connaissait pas le monsieur dont je lui parlais.)*

Esas flores **con las cuales** (**con que**) hizo un ramillete. *(Ces fleurs avec lesquelles il fit un bouquet.)*

52. *Préposition + cuyo, os, a, as*

De qui, duquel, de laquelle, etc. se traduisent par la construction *préposition* + **cuyo, os, a, as.**

En un lugar de la Mancha **de cuyo** nombre no quiero acordarme. *(Dans un village de la Manche du nom duquel je ne veux pas me souvenir.)*

La ciudad $\left\{\begin{array}{l} \text{en} \\ \text{por} \end{array}\right.$ **cuyas** calles me paseo.

(La ville dans les rues de laquelle je me promène.)

El árbol **a cuyo** pie descubrió setas. *(L'arbre au pied duquel il découvrit des champignons.)*

El río **sobre cuyas** aguas se deslizan las barcas. *(La rivière sur les eaux de laquelle glissent les barques.)*

53. *"Où"*

a) Notion de lieu (sans mouvement) = **donde, en donde, en que (en el que).**

Ésta es la casa **donde** nací. *(Voici la maison où je suis né.)*

El teatro **en donde** se representaron algunas óperas. *(Le théâtre où l'on représenta quelques opéras.)*

Sácame de este apuro **en que** estoy. *(Tire-moi de l'embarras où je suis.)*

b) Notion de lieu (avec mouvement) = **adonde, por donde...**

Se dirigió **adonde** estaban sus amigos. *(Il se dirigea [vers] où étaient ses amis.)*

Tomaron el camino **por donde** ya habían pasado los niños. *(Ils prirent le chemin par où étaient déjà passés les enfants.)*

c) Notion de temps = **en que.**

Fue el único momento **en que** le oí hablar. *(Ce fut le seul instant où je l'entendis parler.)*

Les pronoms personnels

Pronoms Sujets	Verbes réfléchis (**lavarse**)	Après préposition (**de, para, por, después de, detrás de, delante de**, etc.)	Après la préposition **con**	Compléments indirects (**hablar**)	Compléments directs (**mirar**)
yo **tú**	**me** **te**	**mí** **ti**	**conmigo** **contigo**	**me** **te**	**me** **te**
él, ella, Vd	**se**	**él, ella, Vd** Réfléchi **sí**	**él, ella, Vd** Réfléchi **consigo**	**le** (masc. et fém.)	**lo,** (masc.) **la,** (fém.) **le** (avec Vd au masc.)
nosotros, nosotras	**nos**	**nosotros, nosotras**	**nosotros, nosotras**	**nos**	**nos**
vosotros, vosotras	**os**	**vosotros, vosotras**	**vosotros, vosotras**	**os**	**os**
ellos, ellas, Vds	**se**	**ellos, ellas, Vds** Réfléchi **sí**	**ellos, ellas, Vds** Réfléchi **consigo** **consigo**	**les** (masc. et fém.)	**los,** (masc.) **las,** (fém.) **les** (avec Vds au masc.)

54. *Pronoms sujets*

yo	nosotros, as
tú	vosotros, as
él, ella	ellos, ellas
usted	ustedes

Les désinences verbales étant bien différenciées suivant les personnes, il n'est pas nécessaire d'employer le pronom sujet.

> **Voy** a pasear. *(Je vais me promener.)*
> **Sales** para Madrid. *(Tu t'en vas à Madrid.)*
> **Vamos** al campo. *(Nous allons à la campagne.)*

Si la clarté l'exige ou si l'on veut marquer une insistance ou une opposition, on l'emploie tout de même.

> **Él** lo hizo, pero **yo** no quería. *(Lui l'a fait, mais moi je ne voulais pas.)*
> **Tú** eres de Bilbao, **yo** soy de Burgos. *(Toi, tu es de Bilbao, moi je suis de Burgos.)*

Usted (Vuestra Merced) ; **ustedes** (Vuestras Mercedes), sont des pronoms sujets de la 3e personne. Ils s'emploient pour traduire le *vous* français de politesse. Le verbe, les pronoms et les adjectifs se rapportant à **usted, ustedes,** doivent être à la 3e personne.

> **Usted** tiene razón, señora. *(Vous avez raison, Madame.)*
> **Ustedes** me escribirán cuanto antes, señores. *(Vous m'écrirez le plus tôt possible, Messieurs.)*

Vosotros, (-as) correspond au pluriel de **tú** :

> **Vosotros,** Pablo y Carmen, sois mis amigos. *(Vous, Paul et Carmen, vous êtes mes amis.)*

55. *Pronoms compléments directs*

me	nos
te	os
le, lo, la/lo (neutre)	los, las

El profesor **me** mira *(le professeur me regarde)* ; **te** admiro *(je t'admire)* ; **le** conozco a usted, señor *(je vous connais, Monsieur).*

N.B. : En théorie, **lo** est la forme du *complément direct* de la 3e personne du singulier au masculin. Dans la pratique, il existe une certaine confusion et l'on peut trouver aussi bien **le** conozco que **lo** conozco.

L'Académie espagnole conseille l'emploi de **le** pour les personnes et de **lo** pour les choses. Le pluriel **les,** que l'on rencontre parfois, est à proscrire.

56. *Pronoms compléments indirects*

me (hablas)	nos
te	os
le	les

Me pidió que **le** contestara *(Il [elle] me demanda de lui répondre.)*
Le digo la verdad. *(Je vous dis la vérité.)*

57. *Pronoms enclitiques*

A l'infinitif, à l'impératif et au gérondif, le pronom personnel complément se place après le verbe et se soude à lui :

Tenemos que marchar**nos.** Mirar**se.** *(Il nous faut partir. Se regarder.)*

Sonriéndo**me** *(en me souriant).*

Díga**me** *(dites-moi).*

Ayúda**le** *(aide-le).*

Míra**me** *(regarde-moi).*

Cependant, dans la langue littéraire, si le verbe est en tête d'une proposition affirmative le pronom peut se souder à lui quel que soit le temps (l'accent écrit est important).

Sentáron**se** a comer todos los convidados. *(Tous les convives s'assirent pour manger.)*

Hablába**me** el director con voz ronca. *(Le directeur me parlait d'une voix rauque.)*

Dijéra**se** que iba a llover. *(On aurait dit qu'il allait pleuvoir.)*

Dans le cas de deux verbes qui se suivent, le pronom peut se mettre devant le premier verbe, ou être enclitique derrière le second :

Nunca **lo** quiso confesar. Nunca quiso confesar**lo.** *(Il ne voulut jamais l'avouer.)*

Me lo estaba preguntando él. Él estaba preguntándo**melo.** *(Il était en train de me le demander.)*

58. *Ordre des pronoms compléments*

Lorsque le verbe est accompagné de deux pronoms compléments, le pronom complément indirect se place toujours le premier :

Te lo digo. *(Je te le dis.)*
Diciéndotelo. *(En te le disant.)*
Dímelo. *(Dis-le moi.)*

59. *Préposition + pronoms personnels*

Les pronoms personnels employés après une préposition (sauf *con*) sont les mêmes que les pronoms sujets :

Hemos hablado de **él**, de **usted**...
Andaba delante de **nosotros**, de **ustedes**, de **ellos**...

sauf à la 1re et 2e personne du singulier, qui emploient **mí** et **ti** :

El perro venía tras **mí** ladrando. *(Le chien aboyait derrière moi.)*
Es un regalo para **ti**. *(C'est un cadeau pour toi.)*

Remarque : On conserve **yo** et **tú** après : según, salvo, incluso, excepto, entre, hasta (sens de *même*), como, igual que :

¡ Hasta **tú** me hablas así ! *(Même toi, tu me parles comme cela !)*

60. Con + *pronoms personnels*

Les formes **mí** et **ti** et le réfléchi **sí** deviennent :
conmigo, contigo, consigo (sing. et pl.).

No quiso venir **conmigo**. *(Il n'a pas voulu venir avec moi.)*
Iré **contigo**. *(J'irai avec toi.)*
Llevaba su maleta **consigo**. *(Il avait avec lui sa valise.)*

61. *Pronoms réfléchis*

me	nos
te	os
se	se

Me levanto. *(Je me lève.)*
Vd **se** sienta. *(Vous vous asseyez.)*

Emploi de **sí**.

Sí s'emploie lorsque le pronom complément désigne la même personne que le sujet.

El egoísta sólo piensa en sí. *(L'égoïste ne pense qu'à lui.)*

62. *Deux pronoms personnels compléments de la 3ᵉ personne*

a) Traduction de **le lui, la lui, le leur, etc.**

Quand le verbe est accompagné de deux pronoms compléments, l'un direct et l'autre indirect, le complément indirect (placé devant), se traduit uniformément par **se**, au singulier comme au pluriel. Les deux pronoms obéissent bien sûr, à la règle de l'enclise.

Estas flores son para mi madre : **se** las ofreceré ; voy a ofrecér**selas**.
(Ces fleurs sont pour ma mère ; je les lui offrirai ; je vais les lui offrir.)

b) Traduction de **vous le, vous les** (compléments) correspondant à **usted, ustedes.**

Les pronoms correspondant à **usted** et à **ustedes** étant de la 3ᵉ personne, les pronoms compléments correspondants sont les mêmes que dans le cas précédent.

Se lo digo, señora. *(Je vous le dis, madame.)*

(Il ne faut pas confondre avec *vous le,* etc., où le *vous* est sujet (**usted** lo sabe), ni avec le *vous* de la 2ᵉ personne du pluriel (**os** lo digo).

63. *Pronoms explétifs*

a) Fréquents avec l'emploi de **usted :**

Se lo digo a usted. *(Je vous le dis.)*

b) Avec un grand nombre de verbes transitifs : **comerse, beberse, llevarse...**

Me bebí media botella de sidra. *(J'ai bu une demi-bouteille de cidre.)*

c) A sens possessif (cf. 38) :

Se me cayó la taza de las manos. *(La tasse s'échappa de mes mains.)*

64. *Modifications orthographiques*

Lorsque la 1re et la 2e personne du pluriel de l'impératif sont suivies d'un pronom réfléchi correspondant, elles perdent leur consonne finale (**s** pour la 1re personne, **d** pour la 2e).

¡ Levantémo**nos** ! *(Levons-nous !)* ¡ Levant**aos** ! *(Levez-vous !)*

65. *"En" et "y"*

Pronoms ou adverbes, ils n'existent pas en espagnol et doivent être traduits par un équivalent.

a) Par un pronom

accord

> No la conozco, pero he oído hablar **de ella.**
> *(Je ne la connais pas, mais j'**en** ai entendu parler.)*
> Libros, tengo **algunos.**
> *(Des livres, j'**en** ai.)*
> Cuando bebo café, pongo azúcar **en él.**
> *(Quand je bois du café, j'**y** mets du sucre.)*

pronom
neutre

> Está enfermo, pero no **lo** sabe.
> *(Il est malade, mais il n'**en** sait rien.)*
> Se opuso enérgicamente **a ello.**
> *(Il s'**y** opposa énergiquement.)*
> ¿ Has oído hablar **de ello** ?
> *(**En** as-tu entendu parler ?)*

b) Par un adverbe :

¡ **Allá** voy ! *(J'**y** vais !)*
Nosotros también volvemos **de allí.** *(Nous **en** venons aussi.)*

c) Pas de traduction quand **en** est suivi d'un numéral ou d'un pronom indéfini :

Topó con otro en el bulevar... *(Il **en** rencontra un autre* [un ami..., etc.] *sur le boulevard.)*
Había hasta diez. *(Il y **en** avait même dix.)*
Si quieres una pluma, aquí tienes una. *(Si tu veux un stylo, **en** voici un.)*

d) Il y en a qui, (que)

Los, (las) hay que dicen que. *(**Il y en a qui** disent que.)*
(On peut trouver : hay **quien** dice que).

Les interrogatifs

Il convient d'abord de ne pas oublier les signes de l'interrogation :

¿ **Qué** hora es ?

Les pronoms interrogatifs *portent toujours l'accent écrit* (même pour l'interrogation indirecte) qui les distingue des pronoms relatifs.

¿ **Qué** ?, ¿ **cuál** ?, ¿ **cuáles** ?, ¿ **quién** ?, ¿ **quiénes** ?, ¿ **cúyo (os, a as)** ?

66. ¿ Qué ?

Il est employé pour *les choses.*

¿ **Qué** pasa ? *(Que se passe-t-il ?)*

¿ De **qué** hablas ? *(De quoi parles-tu ?)*

¿ **Qué** libro prefieres ? *(Quel livre préfères-tu ?)*

Interrogation indirecte :

Dime en **qué** piensas. *(Dis-moi à quoi tu penses.)*

67. ¿ Cuál ?, ¿ Cuáles ?

Est uniquement pronom. Il est employé pour *les personnes et pour les choses :*

¿ **Cuál** es tu nombre ? *(Quel est ton nom ?)*

¿ **Cuál** prefieres de los dos ? *(Lequel des deux préfères-tu ?)*

¿ **Cuáles** son tus amigos ? *(Quels sont tes amis ?)*

Interrogation indirecte :

No sé **cuál** es tu nombre. *(Je ne sais pas quel est ton nom.)*

Dime **cuáles** prefieres. *(Dis-moi lesquels tu préfères.)*

68. ¿ Quién ?, ¿ Quiénes ?

Uniquement employé pour *les personnes,* il est toujours pronom.
Il traduit le *qui ?* français sujet ou complément (dans ce dernier cas, toujours précédé d'une préposition).

> ¿ **Quién** llama a la puerta ? *(Qui frappe à la porte ?)*
> ¿ **De quién** hablas ? ¿ **Por quién** preguntas ? *(De qui parles-tu ? Qui demandes-tu ?)*
> ¿ **De quién** es esta carta ? *(De qui est cette lettre ?)*

Interrogation indirecte :

> Me pregunto **quién** te ha dicho eso. *(Je me demande qui t'a dit cela.)*

69. L'interrogation indirecte

Elle est introduite par les pronoms énumérés ci-dessus *(avec accent)* ou par la conjonction **si,** ou par le neutre **lo que.**

> No sé **cuándo** nos podremos encontrar. *(Je ne sais pas quand nous pourrons nous rencontrer.)*
> Dime **si** me llamarás mañana. *(Dis-moi si tu m'appelleras demain.)*
> Ignoro **lo que** haremos. *(J'ignore ce que nous ferons.)*

→ Le temps de la subordonnée ainsi introduite par un verbe d'interrogation (**preguntarse, saber, ignorar, decir, contar,** etc.) ne pourra être qu'à l'*indicatif* ou au *conditionnel :*

> Me pregunto **si** llueve, **si** lloverá. *(Je me demande s'il pleut, s'il pleuvra.)*
> No sabían **cuándo** llegarían. *(Ils ne savaient pas quand ils arriveraient.)*
> Pablo no sabe **dónde** está su calculadora, **ni quién** se la ha tomado. *(Paul ne sait pas où est sa calculatrice ni qui la lui a prise.)*

Les exclamatifs et l'interjection

70. La phrase exclamative

Elle a beaucoup d'analogies avec la phrase interrogative. Elle en diffère par l'intonation. (Attention aux signes d'exclamation : ¡...!)

a) **¡ Qué !, ¡ quién !, ¡ cómo !, ¡ cuánto ! (a, os, as)**
   ¡ **Qué** bien estamos aquí ! *(Que nous sommes bien ici !)*
   ¡ **Cómo** has crecido ! *(Comme tu as grandi !)*
   ¡ **Cuánto** te admiro ! *(Comme je t'admire !)*

b) On trouve encore **vaya, maldito, menudo, valiente... :**
   ¡ **Vaya** (un) tiempo que hace hoy ! *(Tu parles d'un temps aujourd'hui !)*
   ¡ **Maldita** mosca ! *(Sale mouche !)*
   ¡ **Valiente** pícaro ! *(Quel fripon !)*
   ¡ **Menudo** lío ! *(Drôle d'affaire !)*

c) Avec **más** et **tan.**
Dans une exclamation sans verbe, l'adjectif (placé après le substantif) est précédé de **más** ou de **tan** (qui ne se traduisent pas).
   ¡ Qué chico **más** simpático ! *(Quel garçon sympathique !)*
   ¡ Qué tiempo **tan** frío ! *(Quel temps froid !)*

71. L'interjection

Ce peut être un nom, un verbe (surtout à l'impératif), une locution, un cri, une onomatopée. Elle peut exprimer la douleur, le regret, l'avertissement, la menace, la surprise, la répugnance, etc.

¡ ánimo ! *(courage !)* ; ¡ anda ! *(vas-y !)*
¡ chito ! ; ¡ chitón ! *(chut !)* ; ¡ otra vez ! ; ¡ que se repita ! *(bis !)*
¡ adelante ! *(en avant !)* ; ¡ ay ! *(aïe !, hélas !)*
¡ bravo ! ; ¡ arriba ! ; ¡ viva ! (pour l'approbation)
¡ socorro ! *(au secours !)* ; ¡ auxilio ! *(à l'aide !)* ; ¡ muera ! *(qu'il meure !)*
¡ oye ! ; ¡ oiga ! *(dis donc, dites donc ! ; « allo » !)*
¡ cuidado con el tren ! ; ¡ atención al tren ! *(attention au train !)*
¡ hombre ! ; ¡ mujer ! (pour la surprise surtout : *allons donc !, pas possible !)*

N.B. : L'emploi de **¡ ojalá !** + subjonctif (présent et imparfait) sera étudié avec les subjonctifs.

Les prépositions

72. A

1. Après un verbe de mouvement

Llego **a** Barcelona ; vamos **a** salir. *(J'arrive à Barcelone ; nous allons partir.)*
Exceptions : entrar **en,** penetrar **en,** ingresar **en**.

2. Pour traduire

- L'heure
    Se fue **a** las siete. *(Il s'en alla à 7 heures.)*

- Le moment
    Se levantó **al** amanecer. *(Il se leva au lever du jour.)*

- L'âge
    Se casó **a** los treinta años. *(Il se maria à trente ans.)*

- La période écoulée
    Al poco rato. *(Peu de temps après.)*
    A los 15 días volvió. *(15 jours après, il revint.)*

- La valeur distributive
    Le veo dos veces **al** año. *(Je le vois deux fois l'an.)*

- La manière d'être ou d'agir
    A mi gusto. *(Selon mon goût.)*
    Despedirse **a** la francesa. *(Filer à l'anglaise.)*
    A sangre fría. *(De sang froid.)*
    A mansalva. *(Sans danger, sans coup férir.)*

- Dans des expressions adverbiales indiquant la manière, le moyen :
    andar **a** gatas, **a** oscuras, **a** ciegas, **a** tientas... *(marcher à quatre pattes, dans l'obscurité, à l'aveuglette, à tâtons...)* ;

ou le lieu :
    a orillas de *(au bord de...),* **a** la puerta *(à la porte...)* ;

ou dans des locutions prépositives :
    junto **a** *(près de),* con respecto **a** *(eu égard à)*
    tocante **a** *(par rapport à, en ce qui concerne).*

3. Devant un complément direct désignant des êtres personnifiés (légendes, fables, allégories, etc.), des noms propres d'animaux, des noms de villes ou de pays utilisés sans article.

> Los Aztecas adoraban **al** Sol. *(Les Aztèques adoraient le soleil.)*
> Todos los dioses miraban **a** la Fortuna y **a** la Ocasión. *(Tous les dieux regardaient la Fortune et l'Occasion.)*
> Quien no ha visto **a** Granada no ha visto nada. *(Qui n'a pas vu Grenade n'a rien vu.)*
> Admiro **a** España desde siempre. *(J'admire l'Espagne depuis toujours.)*

4. Devant un complément direct pour distinguer ce dernier de son attribut (verbes **llamar, nombrar, declarar, hacer, elegir**...).

> **Nombraron** Presidente **a** un socio del club. (*On nomma Président un membre du club.*)
> ¿ **Llamas** palacio **a** esta vieja casa ? (*Tu appelles cette vieille maison un palais ?*)

La préposition **a** ne s'emploie pas si elle rend ambigu le sens de la phrase.

> Prefiero Andrés **a** Pablo. *(Je préfère André à Paul).*
> Prefiero París **a** Nueva York. *(Je préfère Paris à New York.)*
> Confiaron el niño **a** sus abuelos. *(On confia l'enfant à ses grands-parents.)*

Enfin, la présence ou non de la préposition **a** peut modifier le sens de la phrase :

> Quiero **a** mi madre. *(J'aime ma mère.)*
> Quiero un empleado muy activo. *(Je veux un employé très actif.)*
> Busco **a** mi hijo. *(Je cherche mon fils* [très défini].*)*
> Busco una persona competente. *(Je cherche une personne compétente* [imprécis].*)*

73. *En*

- Une notion de lieu, sans mouvement (permanence)
  > Mi primo vive **en** la calle de Alcalá. *(Mon cousin habite rue d'Alcala.)*
- L'époque
  > **En** el mes de Marzo ; **en** el siglo XVII. *(Au mois de mars ; au XVIIᵉ siècle.)*
- La direction (avec idée de pénétration)
  > La policía entró **en** su cuarto. *(La police entra dans sa chambre.)*
  > El pescador cayó **en** el agua. *(Le pêcheur tomba dans l'eau.)*
- La durée
  > Lo hizo **en** tres días. *(Elle le fit en trois jours.)*
- La cause, le but dans des locutions prépositives
  > Una ceremonia **en** memoria del difunto. *(Une cérémonie à la mémoire du défunt.)*

Emplois particuliers

● Idée de répétition

Ir de casa **en** casa, de puerta **en** puerta. *(Aller de maison en maison, de porte à porte.)*

De día **en** día, de hora **en** hora. *(De jour en jour, d'heure en heure.)*

● Avec certains verbes spécifiques, traduisant une activité physique ou morale

Pensar **en**, reflexionar **en**, creer **en** una cosa. *(Penser à, réfléchir à, croire à une chose.)* ;

empeñarse **en** decir *(s'obstiner à dire)* ;

tardar **en** venir, **en** hacer *(tarder à venir, à faire)* ;

consistir **en** *(consister à).*

● **En** + gérondif (cf. emploi du gérondif).

74. De

● L'origine

Llegar **de** Aranjuez, no salir **de** casa. *(Arriver d'Aranjuez, ne pas sortir de chez soi.)*

● L'éloignement

Huír **de** un peligro ; escapar **de** una dificultad. *(Fuir un danger ; échapper à une difficulté).*

● La matière

Una mesa **de** pino, **de** roble... *(Une table en pin, en chêne...)*

● La possession

¿ **De** quién es este bolígrafo ? Es **de** Estéban. *(A qui est ce stylo à bille ? Il est à Étienne.)*

● La caractéristique (considérée comme définitive, et souvent précisée par un article défini).

La señora **de** las gafas es nuestra maestra. *(La dame à lunettes est notre institutrice.)*

● La cause

Ciego **de** furor. *(Aveuglé par la fureur.)*

Si la cause est exprimée par un adjectif ou un participe passé, on emploiera la formule **de ... que** *(tant, tellement)* :

De cansados **que** estaban se fueron a dormir. *(Ils étaient si fatigués qu'ils allèrent se coucher.)*

De contenta **que** estaba se reía sola. *(Elle était tellement contente qu'elle riait seule.)*

● La fonction

Estar **de** médico, **de** guardia... *(Etre médecin, être de garde...)*

Hacer **de** sereno. *(Faire le vigile.)*

● La manière

Caer **de** espaldas. *(Tomber sur le dos.)*

Se viste **de** prestado. *(Il s'habille sommairement.)*

La préposition **de** s'emploie surtout pour introduire le *complément de nom* ou le *complément d'adjectif* (rôle de la préposition « *à* », en français) :

una máquina **de** escribir ; un piano **de** cola ; un molino **de** viento ; un trabajo difícil **de** hacer, delicado **de** explicar.

- Quelques hispanismes (avec les verbes **estar, ir, andar**).

Estar **de** luto. *(Être en deuil.)*
Vestir **de** paisano. *(Être habillé en civil.)*
Ir **de** viaje, **de** paseo, **de** juerga, **de** recados, **de** compras. *(Partir en voyage, en promenade, en goguette, faire des commissions...)*
Estar **de** vacaciones, **de** suerte. *(Être en vacances, en veine.)*

- Quelques emplois particuliers de verbes :

Tirar **de** una cuerda. *(Tirer sur une corde.)*
Coger, asir, agarrar **de** la mano. *(Saisir par la main.)*
Colgar **de** la percha. *(Prendre, accrocher au porte-manteau.)*
Ahorcar **de** un árbol. *(Pendre à un arbre).*

- *Omissions*

¡ Menos promesas y más realizaciones ! *(Moins de promesses et plus **de** réalisations !)*
¿ Quiere usted algo más ? No, nada más. *(Vous voulez quelque chose **de** plus ? Non, rien d'autre.)*
Prohibido fijar carteles. *(Défense d'afficher.)*

Remarque : ne pas confondre avec le complément de l'adjectif :

Es útil **de** hacer. *(C'est utile **à** faire.)*

75. *Por*

- Traduit le français **par** (pour désigner l'itinéraire, le complément de manière, d'agent).

Pasa el tren **por** Sevilla. *(Le train passe **par** Séville.)*
Hacer algo **por** sorpresa, **por** casualidad. *(Faire quelque chose **par** surprise, **par** hasard...)*
Los artistas fueron aplaudidos **por** el público. *(Les artistes furent applaudis **par** le public.)*

- Exprime la cause, le motif.

Yo lo sé **por** experiencia. *(Je le sais par expérience.)*
Era conocida **por** su bondad. *(Elle était connue pour sa bonté.)*
Por estar enfermo, no salió. *(Parce qu'il était malade, il ne sortit pas.)*

- L'équivalence, le prix, l'échange.

Ojo **por** ojo, diente **por** diente. *(Œil pour œil, dent pour dent.)*
Lo tuve **por** nada. *(Je l'ai eu pour rien.)*
Respondo **por** él. *(Je réponds de lui.)*

- La durée

Se fue **por** un mes. *(Il est parti pour un mois.)*

- Pour traduire *en faveur de*.

Optar **por** un partido *(opter pour un parti)* ; estar **por** la República *(être pour la République)* ; morir **por** una idea *(mourir pour une idée)* ; votar **por** alguien *(voter pour quelqu'un)* ; desvivirse **por** uno *(se mettre en quatre pour quelqu'un).*

Après un verbe de mouvement, **por** signifie « chercher, demander » :
Ir **por** pan. *(Aller cherchez du pain.)*

On dit même de plus en plus : ir a **por** pan (dans le langage familier).
Han preguntado **por** ti, han llamado **por** ti. *(On t'a demandé, on t'a appelé.)*

- Quelques emplois verbaux avec **por** :

Interesarse **por** alguien. *(S'intéresser à quelqu'un.)*
Mirar **por** su reputación. *(Veiller à sa réputation.)*
Afanarse **por** un proyecto. *(Se consacrer à un projet.)*

76. *Para*

- La destination
Me voy **para** Madrid. *(Je pars pour Madrid.)*
- L'intention
Estoy aquí **para** ayudarte. *(Je suis ici pour t'aider.)*
- Le but
Esta casa es **para** vender. *(Cette maison est à vendre.)*
¿ **Para** qué sirve eso ? *(A quoi cela sert-il ?)*
- Le projet (date envisagée)
Todo estará terminado **para** ese día. *(Tout sera terminé pour ce jour-là.)*
- L'opinion (à mes yeux, selon moi, à mon avis...)
Para mí, más vale no insistir. *(A mon avis, il vaut mieux ne pas insister.)*
Para él, lo que importa es viajar. *(Selon lui, ce qui importe, c'est de voyager.)*

77. *Con*

- L'accompagnement
Me gusta el café **con** leche. *(J'aime le café au lait.)*
Salió **con** su familia. *(Il est sorti en, avec sa famille.)*
- Le moyen
Le mató **con** su cuchillo, **con** su fusil. *(Il le tua avec son couteau, avec son fusil.)*
- La caractéristique considérée sous son aspect *descriptif* (emploi avec un article indéfini le plus souvent)
Se adelantaba hacia nosotros una chica **con** una falda de lunares. *(Une jeune fille à jupe à pois s'avançait vers nous.)*

- S'emploie surtout pour introduire le *complément de manière* (disparition fréquente de l'article indéfini dans ce cas).

> Me habló **con** voz fuerte. *(Il me parla d'une voix forte.)*
> Venía **con** paso lento. *(Il arrivait à pas lents.)*

- Pour exprimer l'attitude

> Caminaban **con** los pies descalzos, **con** la cabeza levantada. *(Ils avançaient pieds nus, la tête haute.)*

- Avec les verbes traduisant la rencontre inattendue, l'opposition, l'inimitié :

> dar **con**, tropezar **con** una persona *(rencontrer quelqu'un)* ;
> chocar **con** un coche *(heurter une voiture)* ;
> luchar **con** un enemigo *(lutter contre un ennemi)* ;
> meterse **con** alguien *(chercher querelle à quelqu'un).*

- Avec les verbes traduisant la comparaison, l'égalité : **conformarse con** ; **contentarse con** ; **comparar con**, etc.

- Quelques idiotismes :

> ¡ cuidado **con** ! *(attention à)* ;
> quedarse **con** una cosa *(conserver une chose)* ;
> quedarse **con** uno *(tromper quelqu'un)* ;
> hacerse **con** un objeto *(s'approprier un objet)* ;
> cumplir **con** su deber *(faire son devoir)* ;
> contar **con** alguien *(compter sur quelqu'un)* ;
> venir **con** cuentos *(raconter des bobards)* ;
> soñar **con** alguien *(rêver de quelqu'un).*

78. **Les autres prépositions**

Les autres prépositions (**entre, contra, desde, sin, sobre, hasta, hacia**), ou locutions prépositives (**delante de, detrás de, debajo de, cerca de, en lugar de, en vez de, en cuanto a, junto a**), ne posent pas de problèmes particuliers.

Il conviendra de distinguer **delante de, detrás de, debajo de** (pour exprimer d'une manière précise le lieu) de **ante, tras, bajo.**

> **Delante de** la puerta le esperaba el perro. *(Le chien l'attendait devant la porte).*
> **Debajo de** la mesa duerme el gato. *(Le chat dort sous la table.)*
> **Detrás de** la iglesia se levantaba la casa del párroco. *(Derrière l'église se dressait la maison du curé.)*

Ante, tras, bajo, sont plus approximatives, ou employées dans un sens figuré.

> Tuvieron que presentarse **ante** el Tribunal. *(Ils durent se présenter devant le Tribunal.)*
> El pueblo dormía **bajo** la luna. *(Le village dormait sous la lune.)*
> Avanzaban uno **tras** otro. *(Ils avançaient l'un derrière l'autre.)*

Adjectifs et pronoms indéfinis

Principaux adjectifs

Ils expriment pour la plupart une idée de quantité, de nombre.

alguno, a *(quelque)*	ninguno, a *(aucun)*
bastante *(assez [de])* cierto, a *(certain)*	otro, a *(autre)*
cada, (inv.) *(chaque)*	poco, a *(peu de)*
cualquiera *(quelconque)*	tal *(tel)*
demasiado, a *(trop [de])*	tamaño, a *(si grand)*
harto, a *(assez [de] ; trop [de])*	todo, a *(tout)*
mucho, a *(beaucoup [de])*	tanto, a *(autant [de])*
mismo, a *(même)*	varios, a *(plusieurs)*

Principaux pronoms

alguien *(quelqu'un)*	nada *(rien)*
algo *(quelque chose)*	nadie *(personne)*
ambos, as *(l'un[e] et l'autre)*	Fulano, Zutano, Mengano *(un certain,
cada uno, a *(chacun[e])*	un tel)*

79. *Pronoms indéfinis*

1. Algo – nada

Ce sont deux pronoms invariables qui s'opposent. Ils ne s'emploient que pour des choses.

> ¿ Ves **algo** ? – No, no veo **nada**. *(Vois-tu quelque chose ? – Non, je ne vois rien.)*

Ils peuvent être employés comme adverbes :

> Me siento **algo** cansado. *(Je me sens un peu fatigué.)*
>
> No lo encuentro **nada** simpático. *(Je ne le trouve pas du tout sympathique.)*

(Pour les emplois de **nada**, cf. 87 d.)

> No sé **nada** = **Nada** sé. *(Je ne sais rien.)*

2. Alguien – nadie

Ce sont également deux pronoms invariables qui s'opposent. Ils ne s'emploient que pour des personnes.

> ¿ **Alguien** ha venido esta tarde ? – No, no ha venido **nadie**.
> *(Quelqu'un est-il venu cet après-midi ? – Non, personne n'est venu.)*
> (Pour l'emploi de **nadie**, cf. **nada**.)
> **Nadie** contestó = No contestó **nadie**. *(Personne ne répondit.)*

80. Adjectifs indéfinis

Cada (invariable)

> **Cada** día *(chaque jour, tous les jours).*
> **Cada** tres semanas *(toutes les trois semaines).*

Cierto, a.

S'accorde et s'emploie sans article indéfini.

> Me contestó Pablo con **cierto** mal humor. *(Paul me répondit avec une certaine mauvaise humeur.)*

Tamaño, a.

> ¿ Qué hacer en **tamaña** perplejidad ? *(Que faire dans une si grande perplexité ?)*

81. Adjectifs et pronoms indéfinis

Mais la plupart des indéfinis sont parfois adjectifs, parfois pronoms.

1. Alguno – ninguno

En fonction d'*adjectifs,* ils s'apocopent devant un nom masculin singulier (cf. Apocope).

> ¿ Tienes **algún** libro que prestarme ? *(As-tu quelque livre [un livre quelconque] à me prêter ?)*

Mais comme *pronoms,* l'apocope n'a plus lieu :

> No tengo **ninguno.**
> **Ninguno** tengo   *(Je n'en ai aucun.)*

On pourrait dire bien sûr, en répétant le nom :

No tengo **ningún** libro (fonction d'adjectif).

Enfin, placé derrière un nom dans une phrase négative, **alguno** peut prendre le sens négatif de **ninguno.**

No encontró oposición **alguna** = No encontró **ninguna** oposición.

Ninguno obéit à la double construction des négations **nada, nadie.**

2. Uno, a

Cf. article indéfini.

Era un señor de **unos** cuarenta años. *(C'était un homme d'environ quarante ans.)*

• Il peut être employé avec **cuanto, a, os, as** : sens indéterminé

Había **unas cuantas** personas en la sala. *(Il y avait quelques rares personnes dans la salle.)*

• **Pronom,** il est employé au singulier dans la traduction de **on** (cf. 82).

• Il s'emploie avec **otro, a, os, as,** pour traduire *les uns... les autres.*

Unos reían, **otros** lloraban. *(Les uns riaient, les autres pleuraient.)*

3. Todo, a, todos, as

Adjectif ou pronom, il traduit *tout, toute, tous, toutes...*

Todos los días *(Tous les jours).*

Los conozco a **todos.** *(Je les connais tous.)*

Lorsque **todo**, pronom neutre, est employé seul comme complément d'objet direct, le verbe doit être accompagné du pronom explétif **lo** :

Ahora **lo** comprendo **todo.** *(Maintenant, je comprends tout.)*

Voy a decír**lo** todo. *(Je vais tout te dire.)*

4. Tanto *(tant de... tellement de... autant de...)*

Había **tantos** hombres como mujeres. *(Il y avait autant d'hommes que de femmes.)*

Había **tanta** gente que no se podía caminar. *(Il y avait tellement de monde qu'on ne pouvait pas marcher.)*

5. Cuanto

Contient en soi le relatif *que* ou *qui* et correspond à :

Todo el... que.

Todos los (las)... que

Todo lo que.

Cuanto me dices ya lo sabía ya. *(Tout ce que tu me dis je le savais déjà.)*

Rappel : **tanto** et **cuanto** s'emploient dans plusieurs constructions corrélatives (cf. Comparatifs).

6. Cualquiera (pluriel **cualesquiera**)

n'importe quel, n'importe lequel.
Tú dices **cualquier** cosa. *(Tu dis n'importe quoi.)*
Cualesquiera que sean la dificultades. *(Quelles que puissent être les difficultés.)*

7. Otro, tal, employés sans article indéfini

Otro día *(un autre jour)* ; **otras** veces *(d'autres fois)* ;
dame **otro** *(donne m'en un autre)* ;
tal desastre *(un tel désastre)* ; no hagas **tal** cosa *(ne fais pas une telle chose).*

N.B. : Un **tal** señor *(Un certain monsieur).*

8. Poco, mucho, bastante, demasiado, harto, cuánto... *(Peu, beaucoup, assez, trop, pas mal, combien de...)*
traduisent la quantité.

Adjectifs, ces mots s'accordent avec le nom qui suit ; *pronoms,* avec le mot qu'ils remplacent :

Poca paciencia ; **muchos** niños ; **bastantes** dificultades ; **demasiado** ruido ; **hartos** inconvenientes ; **cuánto** dolor... *(Peu de patience ; beaucoup d'enfants ; assez de difficultés ; trop de bruit ; pas mal d'inconvénients ; combien de douleurs...)*

On verra que certains de ces mots peuvent être également employés comme adverbes.

9. Ambos, as, entrambos, as

S'emploie lorsqu'il s'agit de personnes ou de choses allant par paires ou envisagées ensemble (cf. aussi Numération).

Ambas piernas. *(Les deux jambes.)*
Pablo y Pedro son amigos ; **ambos** son simpáticos. *(Paul et Pierre sont des amis : tous deux sont sympathiques.)*

(On peut aussi bien employer **los dos ; las dos.**)

Traduction de « on »

82. « On »

Se traduit :

a) par la 3e personne du pluriel pour exprimer un événement accidentel, occasionnel (= des gens).

> **Cuentan** que... *(On raconte que...)*
> Me lo **han** dicho. *(On me l'a dit.)*
> **Dicen** en el periódico. *(On dit dans le journal.)*

b) par la tournure réfléchie, la plus fréquente, pour traduire une idée, une règle générale, un conseil, une habitude :

> ¡ Así **se canta** ! *(Voilà comme on chante !)*
> **Se lee** en el periódico que... *(On lit dans le journal que... Tout le monde peut lire.)*

Dans ce cas le complément français devient en espagnol sujet du verbe et s'accorde avec lui.

> **Se veían** muchas luces. *(On voyait beaucoup de lumières.)*

Sauf si ce complément est sous la forme d'un pronom :

> (las luces) **se las veía** brillar. *([les lumières] on les voyait briller.)*

Remarques :

1. Quand le complément du verbe représente des *personnes déterminées* il doit être précédé de la préposition **a** (pour éviter le contresens qu'occasionnerait la tournure réfléchie) et le sujet **se** est considéré comme singulier :

> **Se llamó a** los alumnos. *(On appela les élèves.)* Pour éviter : los alumnos se llamaron.

Si le complément désignant des personnes est indéterminé, on emploie la forme réfléchie avec accord du verbe :

> **Se necesitan** aprendices. *(On a besoin d'apprentis.)*

2. Noter que le complément masculin est toujours, dans cette traduction **le** ou **les** (pour les personnes comme pour les choses), sans doute afin d'éviter la confusion avec l'emploi des pronoms régimes **se lo, se los** (cf. pron. pers. 3e personne).

> **Se** llamó a los alumnos.
> → **Se les** llamó.
> **Se felicita** al primero.
> → **Se le** felicita.

c) par **uno, una,** quand la tournure réfléchie avec **se** est devenue impossible à cause d'un verbe pronominal (pour ne pas répéter **se**) :

Se levanta **uno** más temprano en verano. *(**On** se lève plus tôt en été.)*

Ou quand la personne qui parle prétend exprimer son propre sentiment :

No puede **una** hacerlo todo. *(**On** ne peut pas tout faire [sous entendu : **je**].)*

d) par **nosotros, nosotras** : si le narrateur participe à l'action :

Ayer **fuimos** al cine. *(Hier, **on** est allé au cinéma [mes amis et moi].)*

e) par **cualquiera** ou **la gente** *(n'importe qui, les gens).*

Cualquiera lo sabe. *(On [n'importe qui] le sait.)*
La gente sale tarde. *(On [les gens] sort tard.)*

L'adverbe

Modifie un verbe, un adjectif ou un autre adverbe.

83. Adverbes de lieu

Les principaux sont :

aquí *(ici)*	acá *(ici* [avec une idée de mouvements]*)*
adelante *(en avant)*	adentro *(dedans* [idée de mouvement]*)*
ahí, allí *(là)*	allende *(au delà* [arch.]*)*
abajo *(en bas)*	atrás *(en arrière)*
arriba *(en haut)*	allá *(là-bas)*
cerca *(près)*	debajo *(dessous)*
dentro *(dedans)*	donde *(où)*
fuera *(dehors)*	afuera (idée de mouvement)
encima *(au-dessus)*	enfrente *(en face)*
lejos *(loin)*	detrás *(derrière)*

a) **Aquí, ahí...** s'emploient dans certaines formules :
he aquí *(voici)* ; he ahí *(voilà)*. Cf. Démonstratifs.

b) **Donde** : endroit où l'on est ;
adonde : endroit où l'on se rend ;
de donde : endroit d'où l'on vient ;
por donde : endroit que l'on traverse.
Interrogatifs, ils portent obligatoirement l'accent écrit.
¿ **Dónde** estás ? ¿ **A dónde** vais ?
¿ **De dónde** vienes ? ¿ **Por dónde** pasaste ?

c) **Arriba, abajo, adentro...,** peuvent entrer dans des expressions idiomatiques traduisant généralement une direction :
Ir **calle arriba (abajo)** *(remonter [descendre] la rue).*
Nadar **río arriba (abajo)** *(nager vers l'amont, [vers l'aval]).*
Ir **mar adentro** *(aller vers la haute mer, vers le large).*

84. Adverbes de temps

anoche *(hier soir)*	aún, todavía *(encore)*
anteayer *(avant-hier)*	ayer *(hier)* antes *(avant)*
ahora *(maintenant)*	después *(ensuite)*
entonces *(alors)*	hoy *(aujourd'hui)*
jamás, nunca *(jamais)*	luego *(tout de suite, bientôt)*
mañana *(demain)*	pronto *(bientôt)*
recientemente *(récemment)*	siempre *(toujours)*
tarde *(tard)*	ya *(déjà, maintenant)*

Quelques locutions adverbiales

pasado mañana *(après-demain)*	en adelante *(désormais)*
a menudo	en seguida *(tout de suite)*
muchas veces *(souvent)*	de pronto *(soudain)*
a veces *(parfois)*	entretanto
de vez en cuando	mientras tanto *(pendant ce temps)*
de cuando en cuando *(pendant ce temps)*	

Nunca, jamás, en mi vida sont des négations et ne supposent l'emploi du **no** de renforcement que si elles sont derrière le verbe (cf. autres négations : nada, nadie, ninguno, tampoco...).

No he visto eso **en mi vida**
En mi vida he visto eso } *(Je n'ai jamais vu ça de ma vie.)*

Jamás (nunca) lo aceptaré
No lo aceptaré **jamás (nunca)**. } *(Je ne l'accepterai jamais.)*

(L'emploi de **jamás** est moins fréquent. Son sens est plus fort que **nunca**.)

Recientemente s'apocope en **recién** (qui reste évidemment invariable devant un participe ou un adjectif faisant fonction de participe).

Los **recién** casados. *(Les nouveaux mariés.)*

La habitación, **recién** barrida, olía a polvo. *(La pièce qui venait d'être balayée, sentait la poussière.)*

85. Adverbes de manière

alto *(haut)*, bajo *(bas)*, aparte *(à part)*, bien *(bien)*, mejor *(mieux)*
despacio *(lentement)*, mal *(mal)*, peor *(pire)*
quizás, quizá, tal vez, acaso, a lo mejor *(peut-être)*

Beaucoup de locutions adverbiales sont formées à partir d'un féminin pluriel précédé de **a** ou de **de** :

> a gatas *(à quatre pattes)* ; a ciegas *(à l'aveuglette)* ;
> a tientas *(à tâtons)* ; de rodillas *(à genoux).*

Mais la plupart des adverbes de manière sont obtenus à partir de la forme féminine de l'adjectif (ou de sa forme unique), suivie de la terminaison **mente** :

> rápido, **rápidamente** ; rico, **ricamente** :
> feliz, **felizmente** ; cortés, **cortésmente.**

Apocope de la terminaison *mente*

Quand deux ou plusieurs adverbes de ce type se suivent, seul le dernier prend la terminaison **mente,** les précédents conservant la forme du féminin de l'adjectif :

> Combatieron valerosa y cruel**mente**. *(Ils combattirent vaillamment et cruellement.)*

Les adverbes peuvent être réunis par d'autres conjonctions : **si, pero, o, sino, aunque,** etc.

> Me contestó **cortés aunque secamente**. *(Il me répondit poliment quoique sèchement.)*
> Iba vestido **rica pero simplemente**. *(Il était habillé richement mais simplement.)*

N.B. *:* Bien souvent, à la place de l'adverbe en **-mente** l'espagnol préfère l'emploi d'une locution adverbiale :

> Me acogió amable**mente** = me acogió con amabilidad. *(Il m'accueillit aimablement.)*

86. Adverbes de quantité et de comparaison

algo *(un peu)*	apenas *(à peine)*	bastante *(assez)*
cuánto *(combien)*	demasiado *(trop)*	más *(plus)*
medio *(à demi)*	menos *(moins)*	mucho *(beaucoup)*
nada *(nullement)*	poco *(peu)*	qué *(combien)*
también *(aussi)*	tanto *(autant)*	cuanto *(tout ce que)*

a) **Mucho, poco, demasiado, bastante, harto.**
Employés comme adverbes, ils sont invariables.

> Nos sentimos **bastante** cansados. *(Nous nous sentons assez fatigués.)*

(Voir leur emploi en tant qu'adjectifs et pronoms indéfinis.)

b) Apocope de **tanto** et **cuanto, mucho** → **muy.**
Devant un adjectif, un autre adverbe ou un participe :
> Era **tan** simpático como su hermano.
> Una lluvia **muy** recia...

c) **Medio** + adjectif ou participe passé
A medio + infinitif
A medias
> Estaba **medio** loco. *(Il était à moitié fou.)*
> El trabajo estaba **a medio** hacer. *(Il restait à faire la moitié du travail.)*
> El trabajo estaba **medio** hecio. *(Le travail était fait à moitié.)*
> Hacía las cosas **a medias.** *(Il faisait les choses à moitié.)*

d) **Apenas** introduit une construction particulière :
> **Apenas** se levanta el sol, **cuando** Luis se pone al trabajo.

Le relatif suivant **apenas** ne se traduit pas ou se traduit par **cuando.**

e) **De puro, a puro** *(tellement, à force de)* (adverbe invariable).
> **De puro** cansados se durmieron. *(Ils étaient tellement fatigués, qu'ils s'endormirent.)*

A puro peut aussi s'employer comme adjectif devant un nom :
> **A puras** peticiones. *(A force de sollicitations.)*

f) **Más – menos**
Plus de, moins de
> Deme **más** pan, **menos** vino. *(Donnez-moi plus de pain, moins de vin.)*

De plus, de moins
> Media hora **más** ; cinco puntos **menos.** (Une demi-heure de *plus* ; cinq points de *moins.*)

De trop
> Hay diez pesetas **de más.** *(Il y a dix pesetas de trop.)*

g) **Au moins** (dans le sens *ne serait-ce que*) se traduit par **siquiera** :
> Dime **siquiera** una vez la verdad. *(Dis-moi **au moins** une fois la vérité.)*

87. Adverbes d'affirmation et de négation

sí *(oui)* ; no *(non)* ; también *(aussi)* ;
tampoco *(non plus)* ; aún, hasta *(même)* ; más bien *(plutôt)* ;
tal vez, acaso, quizás, quizá, a lo mejor *(peut-être)* ; desde luego
(bien entendu) ; de seguro *(sûrement)* ; sin duda *(sans doute)* ;
por cierto *(certainement)* ; ni muchos menos *(pas le moins du monde)* ;
ni siquiera *(pas même)* ; ya no *(ne plus).*

a) **Que sí – que no**

L'affirmation et la négation simples sont **sí** et **no** (au lieu de **sí**, on peut trouver parfois **ya**). Elles peuvent être renforcées par **que**.

¡ Que sí ! *(Ça oui !)* ; ¡ Que no ! *(Ça non !)*

b) **Ni**

La conjonction négative **ni** peut se répéter avant chaque membre de phrase négative ou ne se mettre que devant le dernier.

No debes [ni] pensarlo ni hacerlo. *(Tu ne dois ni le penser ni le faire.)*

c) **... Que no**

Une tournure particulière est celle qui consiste, dans la comparaison, à accentuer la partie négative de la phrase :

Más vale seguir un buen consejo **que no** su propria voluntad. *(Mieux vaut suivre un bon conseil que sa propre volonté.)*

d) Les négations **ni, nada, nadie, nunca, jamás, tampoco, ninguno(a), en mi vida** exigent la négation **no** quand elles sont placées après le verbe.

No lo repetiré **nunca** = **nunca** lo repetiré *(jamais je ne le répèterai.)*
No contestó **nada** = **nada** contestó *(il ne répondit rien.)*

e) **No... ya, ya no, no... más** (traduction du français : *ne... plus*).

On emploie le groupe **no... ya** entourant le verbe ou **ya no** le précédant.

Simón **no** vendrá **ya**.
Simón **ya no** vendrá. } *(Simon ne viendra plus.)*

L'emploi de **no... más** correspond simplement à une idée de quantité.

No puedo **más**. *(Je n'en peux plus.)*
No quiero **más** sopa. *(Je ne veux plus de soupe.)*

f) **Sólo, no... más que, no... sino** traduisent le français *ne... que.*

Sólo fumo puros.
No fumo **más que** puros. } *(Je ne fume que des cigares.)*
No fumo **sino** puros.

S'il s'agit d'une restriction de temps, on emploie **no... hasta** ou **no... antes.**

No volveremos **hasta** el año que viene. *(Nous ne reviendrons que l'an prochain).*
No volveremos **antes** del año que viene.

g) **No... sino** *(ne pas... mais)*
No sólo... sino también *(non seulement... mais encore).*
No sólo... sino que *(non seulement... mais [avec verbe]).*

Sino s'emploie à la place de la conjonction **pero** après une négation :

La ballena **no** es un pez **sino** un mamífero. *(La baleine n'est pas un poisson mais un mammifère.)*
No sólo trabaja de día **sino** también de noche. *(Non seulement il travaille le jour, mais aussi la nuit.)*

Avec deux propositions, l'opposition se traduit par **sino que** :

> **No** quiso tomar el tren **sino que** prefirió ir andando. *(Il ne voulut pas prendre le train mais il préféra aller à pied.)*
> **No sólo** habla inglés **sino que** también lo escribe. *(Non seulement il parle anglais mais il sait aussi l'écrire.)*

Cette règle n'est pas valable pour les verbes à l'infinitif :

> **No** le gusta salir mucho **sino** quedarse en casa. *(Il n'aime pas sortir mais rester chez lui.)*

Comme équivalent de **no... sino, no... sino que,** on peut rencontrer parfois **pero sí, pero sí que.**

> **No** quiso aceptar un puro, **pero sí** que le apeteció un cigarrillo. *(Il ne voulut pas accepter un cigare, néanmoins une cigarette lui fit envie.)*

Remarque : L'emploi de **sino** nécessite une véritable opposition de sens ou d'idée. S'il n'y a que *restriction* (cependant...), on conserve l'emploi de **pero.**

> **No** es inteligente, **pero** es capaz de comprenderlo. *(Il n'est pas intelligent, mais il peut le comprendre.)*

h) **Ni... siquiera** (parfois **no... siquiera**) = ne... pas même.

> **Ni siquiera** prununció una palabra = **no** pronunció **siquiera** una palabra. *(Il ne prononça même pas un mot.)*

Ni siquiera peut, tout en conservant le même sens, se réduire à *ni*.

> **Ni** me miró. *(Il ne m'a même pas regardé.)*

88. *Place de l'adverbe*

- L'adverbe peut se mettre avant ou après le verbe :
> **Delante** iban los niños = Los niños iban **delante**. *(Les enfants allaient devant.)*
- Il se met *devant* l'adjectif ou un autre adverbe :
> Es una señora **muy** buena, **excesivamente** generosa. *(C'est une femme très bonne, excessivement généreuse.)*
> **Demasiado** pronto *(trop vite)* ; **bastante** tranquilamente *(assez tranquillement).*
- Mais, dans les temps composés, l'adverbe n'est jamais situé entre l'auxiliaire et le participe passé ; on le place communément derrière :
> Hemos andado **mucho**. *(Nous avons beaucoup marché.)*

La conjonction

Conjonction et locutions conjonctives

y *(et)*	mientras *(pendant que, tant que)*
o *(ou)*	aunque *(quoique, même si)*
ni... ni *(ni... ni)*	luego *(donc)*
pero ⎫	que *(que, car)*
mas ⎭ *(mais)*	porque *(parce que)*
cuando *(quand)*	según ⎫
si *(si)*	conforme ⎬ *(selon, à mesure que)*
pues *(car)*	a medida que ⎭
mientras que *(tandis que)*	tan pronto como *(aussitôt que)*
así que ⎫	ya que
en cuanto ⎬ *(dès que)*	puesto que ⎫ *(puisque, étant donné que)*
luego que ⎭	dado que ⎭
antes que *(avant que)*	con tal que *(pourvu que)*, etc.

89. Conjonction de coordination

a) **Y** *(et)* devient **e** devant un mot commençant par **i** ou **hi** :
  Arturo **e** Isabel ; Padre **e** hijo.
(Mais on dira : calor **y** hielo ; caballo **y** yegua, car dans ces mots, il n'y a pas hiatus.)

b) **O** *(ou)* devient **u** devant un mot commençant par **o** ou **ho** :
  Uno **u** otro ; mujer **u** hombre.

c) **Pero, mas, sino**
Pero marque une opposition après une affirmation :
  Una persona cortés **pero** antipática.
Mas traduit une opposition plus forte, souvent en début de phrase :
  Luis solía madrugar ; **mas** aquel día no pudo. *(Louis avait l'habitude de se lever tôt ; mais ce jour-là, il ne le put pas.)*

e) **¿ Por qué ? ≠ porque ≠ porqué**
Ne pas confondre l'interrogatif **¿ por qué ?** *(pourquoi ?)* avec l'explicatif **porque** (sans accent = *parce que*) et avec le substantif **porqué** *(la cause, le motif, le pourquoi).*

¿ **Por qué** no le escribes ? *(Pourquoi ne lui écris-tu pas ?)*
Porque no me da la gana. *(Parce que je n'en ai pas envie.)*
Explícame el **porqué** de tu actitud. *(Explique-moi la cause* [le pourquoi] *de ton attitude.)*

f) **Que** (dans le sens de *car*)
Escóndete, **que** te van a ver. *(Cache-toi, car on va te voir.)*

g) **Pues** correspond au français : *puisque, donc, eh bien* (et non pas *puis,* qui se traduit : *después, luego).*

Bien lo puedo decir, **pues** a mí me ocurrió el lance. *(Je peux bien le dire puisque c'est à moi que l'histoire est arrivée.)*
Dime **pues** una cosa. *(Dis-moi donc une chose.)*
Pues me voy. *(Eh bien, je m'en vais.)*

90. Conjonctions de subordination

a) **Que** (cf. 120, 123)
Il se construit avec l'indicatif, le conditionnel, le subjonctif présent ou imparfait (selon l'affirmation ou le doute).

Te aseguro **que** Enrique nos llamará. *(Je t'assure qu'Henri nous appellera.)*
Te había asegurado **que** Enrique nos llamaría. *(Je t'avais assuré qu'Henri nous appellerait.)*
No quiero **que** desobedezcas. *(Je ne veux pas que tu désobéisses.)*
No quería **que** desobedecieras. *(Je ne voulais pas que tu désobéisses.)*

b) **Como**
Employé avec le présent du subjonctif (forme très fréquente), il se substitue à **si** + présent de l'indicatif.

Como haga buen tiempo, iremos a dar un paseo.
Si hace buen tiempo, iremos a dar un paseo. *(S'il fait beau temps, nous irons faire une promenade.)*

c) **Si, cuando, mientras, conforme,** etc., employés avec l'indicatif ou le subjonctif (affirmation ou hypothèse [cf. leur emploi dans la subordination, 119]).

d) Les locutions conjonctives **antes que** ou **antes de que** *(avant que),* **a no ser que** ou **a menos que** *(à moins que),* **con tal que** *(pourvu que, à condition que),* **sin que** *(sans que),* **para que** *(pour que)* ne peuvent être employées qu'avec le mode subjonctif (cf. 120).

Queremos estar de vuelta **antes de que caiga** la noche. *(Nous voulons être de retour avant que la nuit tombe.)*
Queríamos estar de vuelta **antes de que cayera** la noche. *(Nous voulions être de retour avant que la nuit tombe.)*
No puedo hablar **sin que** él **me interrumpa**. *(Je ne peux pas parler sans qu'il m'interrompe.)*

No podía hablar **sin que** él **me interrumpiera.** *(Je ne pouvais pas parler sans qu'il m'interrompe.)*

Estoy contento **con tal que** me **dejes** tranquilo. *(Je suis content pourvu que tu me laisses tranquille.)*

Estaría contento **con tal que** me **dejaras** tranquilo. *(Je serais content pourvu que tu me laisses tranquille.)*

Estaba contento **con tal que** me **dejaras** tranquilo. *(J'étais content pourvu que tu me laisses tranquille.)*

91. Aunque

a) Traduction d'un fait réel : **aunque** + indicatif exprime le restrictif français *(bien que... quoique).*

b) Traduction d'un fait hypothétique : **aunque** + subjonctif exprime le français *même si.*

Emploi de *aunque*

	Proposición subordinada española	Proposition subordonnée française
Fait réel	aunque + indicativo presente imperfecto	bien que } + subjonctif { présent quoique } imparfait
	aunque soy tímido, hablo fuerte aunque era tímido, hablaba fuerte	*bien que je sois* timide, je *parle* fort. *bien que je fusse* timide, je *parlais* fort.
Fait hypothétique	aunque + subjuntivo presente imperfecto	même si + indicatif { présent imparfait
	aunque seamos pocos, haremos ruido aunque fuéramos pocos, haríamos ruido	*même si* nous *sommes* peu nombreux, nous *ferons* du bruit. *même si* nous *étions* peu nombreux, nous *ferions* du bruit.

(Cf. 122.)

Verbes auxiliaires

92. *Ser*

Présent de l'indicatif	Impératif		Présent du subjonctif
soy			sea
eres	sé		seas
es	sea	←	sea
somos	seamos	←	seamos
sois	sed		seáis
son	sean	←	sean

Imparfait de l'indicatif	Futur	Conditionnel
era	ser é	ser ía
eras	ser ás	ser ías
era	ser á	ser ía
éramos	ser emos	ser íamos
erais	ser éis	ser íais
eran	ser án	ser ían

Passé simple	Imparfaits du subjonctif		Futur du subjonctif
fui	fue ra	fue se	fue re
fuiste	fue ras	fue ses	fue res
fue	fue ra	fue se	fue re
fuimos	fué ramos	fué semos	fué remos
fuisteis	fue rais	fue seis	fue reis
fue ron	fue ran	fue sen	fue ren

Gérondif : siendo. – Participe passé : sido.

93. Estar

Présent de l'indicatif	Impératif		Présent du subjonctif
est **oy**			est **é**
est **ás** →	est **á**		est **és**
est **á**	est **é**	←	est **é**
est **amos**	est **emos**	←	est **emos**
est **áis** →	est **ad**		est **éis**
est **án**	est **én**	←	est **én**

Imparfait de l'indicatif	Futur	Conditionnel
est **aba**	estar **é**	estar **ía**
est **abas**	estar **ás**	estar **ías**
est **aba**	estar **á**	estar **ía**
est **ábamos**	estar **emos**	estar **íamos**
est **abais**	estar **éis**	estar **íais**
est **aban**	estar **án**	estar **ían**

Passé simple	Imparfaits du subjonctif			Futur du subjonctif
estuv **e**	estuv **ie** ra	**et**	estuv **ie** se	estuv **ie** re
estuv **iste**	estuv **ie** ras		estuv **ie** ses	estuv **ie** res
estuv **o**	estuv **ie** ra		estuv **ie** se	estuv **ie** re
estuv **imos**	estuv **ié** ramos		estuv **ié** semos	estuv **ié** remos
estuv **isteis**	estuv **ie** rais		estuv **ie** seis	estuv **ie** reis
estuv **ie** ron	estuv **ie** ran		estuv **ie** sen	estuv **ie** ren

Gérondif : estando. – Participe passé : estado.

94. Haber

Présent de l'indicatif	Impératif	Présent du subjonctif
he has ha hemos habéis han	inusité	haya hayas haya hayamos hayáis hayan

Imparfait de l'indicatif	Futur	Conditionnel
hab ía hab ías hab ía hab íamos hab íais hab ían	habr é habr ás habr á habr emos habr éis habr án	habr ía habr ías habr ía habr íamos habr íais habr ían

Passé simple	Imparfaits du subjonctif		Futur du subjonctif
hub e hub iste hub o hub imos hub isteis hub ie ron	hub ie ra hub ie ras hub ie ra hub ié ramos hub ie rais hub ie ran	et hub ie se hub ie ses hub ie se hub ié semos hub ie seis hub ie sen	hub ie re hub ie res hub ie re hub ié remos hub ie reis hub ie ren

Gérondif : habiendo. − **Participe passé** : habido.

95. *Tener*

Présent de l'indicatif	Impératif		Présent du subjonctif
tengo			tenga
tien es	ten		teng as
tien e	tenga	←	teng a
ten emos	tengamos	←	teng amos
ten éis	tened		teng áis
tien en	tengan	←	teng an

Imparfait de l'indicatif	Futur	Conditionnel
ten ía	tendr é	tendr ía
ten ías	tendr ás	tendr ías
ten ía	tendr á	tendr ía
ten íamos	tendr emos	tendr íamos
ten íais	tendr éis	tendr íais
ten ían	tendr án	tendr ían

Passé simple	Imparfaits du subjonctif			Futur du subjonctif
tuv e	tuv ie ra	et	tuv ie se	tuv ie re
tuv iste	tuv ie ras		tuv ie ses	tuv ie res
tuv o	tuv ie ra		tuv ie se	tuv ie re
tuv imos	tuv ié ramos		tuv ié semos	tuv ié remos
tuv isteis	tuv ie rais		tuv ie seis	tuv ie reis
tuv ie ron	tuv ie ran		tuv ie sen	tuv ie ren

Gérondif : teniendo. – Participe passé : tenido.

Verbes réguliers

96. Première conjugaison : hablar

Présent de l'indicatif	Impératif			Présent du subjonctif
habl o				habl e
habl as →	habl a			habl es
habl a	habl e	←		habl e
habl amos	habl emos	←		habl emos
habl áis →	habl ad			habl éis
habl an	habl en	←		habl en

Imparfait de l'indicatif	Futur	Conditionnel
habl aba	hablar é	hablar ía
habl abas	hablar ás	hablar ías
habl aba	hablar á	hablar ía
habl ábamos	hablar emos	hablar íamos
habl abais	hablar éis	hablar íais
habl aban	hablar án	hablar ían

Passé simple	Imparfaits du subjonctif		Futur du subjonctif
habl é	habl a ra et	habl a se	habl a re
habl aste	habl a ras	habl a ses	habl a res
habl ó	habl a ra	habl a se	habl a re
habl amos	habl á ramos	habl á semos	habl á remos
habl asteis	habl a rais	habl a seis	habl a reis
habl a ron	habl a ran	habl a sen	habl a ren

Gérondif : hablando. – Participe passé : hablado.

97. Deuxième conjugaison : comer

Présent de l'indicatif	Impératif			Présent du subjonctif
com o				com a
com es →	com e			com as
com e	com a		←	com a
com emos	com amos		←	com amos
com éis →	com ed			com áis
com en	com an		←	com an

Imparfait de l'indicatif	Futur	Conditionnel
com ía	comer é	comer ía
com ías	comer ás	comer ías
com ía	comer á	comer ía
com íamos	comer emos	comer íamos
com íais	comer éis	comer íais
com ían	comer án	comer ían

Passé simple	Imparfaits du subjonctif			Futur du subjonctif
com í	com ie ra	et	com ie se	com ie re
com iste	com ie ras		com ie ses	com ie res
com ió	com ie ra		com ie se	com ie re
com imos	com ié ramos		com ié semos	com ié remos
com isteis	com ie rais		com ie seis	com ie reis
com ie ron	com ie ran		com ie sen	com ie ren

Gérondif : com iendo. – Participe passé : com ido.

98. *Troisième conjugaison : vivir*

Présent de l'indicatif	Impératif	Présent du subjonctif
viv o		viv a
viv es →	viv e	viv as
viv e	viv a ←	viv a
viv imos	viv amos ←	viv amos
viv ís →	viv id	viv áis
viv en	viv an ←	viv an

Imparfait de l'indicatif	Futur	Conditionnel
viv ía	vivir é	vivir ía
viv ías	vivir ás	vivir ías
viv ía	vivir á	vivir ía
viv íamos	vivir emos	vivir íamos
viv íais	vivir éis	vivir íais
viv ían	vivir án	vivir ían

Passé simple	Imparfaits du subjonctif		Futur du subjonctif
viv í	viv ie ra et	viv ie se	viv ie re
viv iste	viv ie ras	viv ie ses	viv ie res
viv ío	viv ie ra	viv ie se	viv ie re
viv imos	viv ié ramos	viv ié semos	viv ié remos
viv isteis	viv ie rais	viv ie seis	viv ie reis
viv ie ron	viv ie ran	viv ie sen	viv ie ren

Gérondif : viv iendo. – **Participe passé** : viv ido.

Diphtongaison et modifications orthographiques

99. Verbes à diphtongaison simple

1. E → IE

Calentar

Présent de l'indicatif	Impératif	Présent du subjonctif
caliento		caliente
calientas	calienta	calientes
calienta	caliente	caliente
calentamos	calentemos	calentemos
calentáis	calentad	calentéis
calientan	calienten	calienten

Les autres temps sont réguliers et se conjuguent comme **hablar**.
Sur le modèle de **calentar** se conjuguent notamment : **acertar, apretar, atravesar, cerrar, comenzar, confesar, desterrar, empezar, fregar, helar, manifestar, merendar, negar, pensar, quebrar, recomendar, regar, segar, sembrar, sentar, temblar...**

Entender

Présent de l'indicatif	Impératif	Présent du subjonctif
entiendo		entienda
entiendes	entiende	entiendas
entiende	entienda	entienda
entendemos	entendamos	entendamos
entendéis	entended	entendáis
entienden	entiendan	entiendan

Les autres temps sont réguliers et se conjuguent comme **comer**.
Sur le modèle de **entender** : **ascender, atender, defender, encender, perder...**

2. O → UE

Contar

Présent de l'indicatif	Impératif	Présent du subjonctif
cuento		cuente
cuentas	cuenta	cuentes
cuenta	cuente	cuente
contamos	contemos	contemos
contáis	contad	contéis
cuentan	cuentan	cuenten

Les autres temps sont réguliers et se conjuguent comme **hablar**.
Sur le modèle de **contar : acostar, almorzar, colgar, comprobar, costar, encontrar, mostrar, poblar, probar, recordar, sonar, soñar, volar...**

Volver

Présent de l'indicatif	Impératif	Présent du subjonctif
vuelvo		vuelva
vuelves	vuelve	vuelvas
vuelve	vuelva	vuelva
volvemos	volvamos	volvamos
volvéis	volved	volváis
vuelven	vuelvan	vuelvan

Les autres temps sont réguliers et se conjuguent comme **comer**.
Sur le modèle de **volver : cocer, conmover, doler, llover, morder, mover, oler, soler...**

100. *Verbes à modification orthographique*

1. E → I

Repetir

Présent de l'indicatif	Impératif	Présent du subjonctif	Imparfait
repito		repita	repetía
repites	repite	repitas	repetías
repite	repita	repita	repetía
repetimos	repitamos	repitamos	repetíamos
repetís	repetid	repitáis	repetíais
repiten	repitan	repitan	repetían

Gérondif	Participe passé	Futur	Conditionnel
		repetiré	repetiría
		repetirás	repetirías
repitiendo	repetido	repetirá	repetiría
		repetiremos	repetiríamos
		repetiréis	repetiríais
		repetirán	repetirían

Passé simple	1re forme	2e forme	Futur du subjonctif
	Imparfait du subjonctif		
repetí	repitiera	repitiese	repitiere
repetiste	repitieras	repitieses	repitieres
repitió	repitiera	repitiese	repitiere
repetimos	repitiéramos	repitiésemos	erpitiéremos
repetisteis	repitierais	repitieseis	repitiereis
repitieron	repitieran	repitiesen	repitieren

Sur le modèle de **repetir** se conjuguent notamment : **competir, conseguir, corregir, derretir, elegir, gemir, impedir, medir, pedir, perseguir, seguir, servir, vestir**...

2. ZC devant A, O
C devant E, I

Conocer

Présent de l'indicatif	Impératif	Présent du subjonctif
conozco		conozca
conoces	conoce	conozcas
conoce	conozca	conozca
conocemos	conozcamos	conozcamos
conocéis	conoced	conozcáis
conocen	conozcan	conozcan

La même modification orthographique se retrouve dans les verbes en **-acer** (sauf **hacer**, irrégulier), **-ocer** (sauf **cocer** qui diphtongue simplement o > ue), **-ecir, -ucir,** et notamment dans les verbes : **acaecer, acontecer, amanecer, anochecer, carecer, crecer, desaparecer, embellecer, enriquecer, envejecer, estremecer, lucir, merecer, nacer, obedecer, ofrecer, parecer, padecer, pertenecer, renococer, relucir, restablecer...**

3. I → Y devant A, O, E

Construir

Présent de l'indicatif	Impératif	Présent du subjonctif
construyo		construya
construyes	construye	construyas
construye	construya	construya
construimos	construyamos	construyamos
construís	construid	construyáis
construyen	construyan	construyan

Gérondif : construyendo, Passé simple : construí, 3e personne construyó → Imparfait du subjonctif : construyera.

Sur le modèle de **construir : atribuir, concluir, contribuir, destituir, destruir, disminuir, distribuir, excluir, fluir, huir, incluir, influir, obstruir, restituir, retribuir...**

101. Verbes à diphtongaison (e/ie) et à modification orthographique (e/i)

Convertir

Présent de l'indicatif	Impératif	Présent du subjonctif	Imparfait
convierto		convierta	convertía
conviertes	convierte	conviertas	convertías
convierte	convierta	convierta	convertía
convertimos	convirtamos	convirtamos	convertíamos
convertís	convertid	convirtáis	convertíais
convierten	conviertan	conviertan	convertían

Gérondif	Participe passé	Futur	Conditionnel
		convertiré	convertiría
		convertirás	convertirías
convirtiendo	convertido	convertirá	convertiría
		convertiremos	convertiríamos
		convertiréis	convertiríais
		convertirán	convertirían

Passé simple	1re forme	2e forme	Futur du subjonctif
	Imparfait du subjonctif		
convertí	convirtiera	convirtiese	convirtiere
convertiste	convirtieras	convirtieses	convirtieres
convirtió	convirtiera	convirtiese	convirtiere
convertimos	convirtiéramos	convirtiésemos	convirtiéremos
convertisteis	convirtierais	convirtieseis	convirtiereis
convirtieron	convirtieran	convirtiesen	convirtieren

Sur le modèle de **convertir : advertir, arrepentirse, consentir, digerir, divertir, herir, hervir, mentir, sentir.**

102. Verbes à diphtongaison (o/ue) et à modification orthographique (o/u)

Morir

Présent de l'indicatif	Impératif	Présent du subjonctif	Imparfait
muero		muera	moría
mueres	muere	mueras	morías
muere	muera	muera	moría
morimos	muramos	muramos	moríamos
morís	morid	muráis	moríais
mueren	mueran	mueran	morían

Gérondif	Participe passé	Futur	Conditionnel
		moriré	moriría
		morirás	morirías
muriendo	muerto	morirá	moriría
		moriremos	moriríamos
		moriréis	moriríais
		morirán	morirían

Passé simple	1ʳᵉ forme	2ᵉ forme	Futur du subjonctif
		Imparfait du subjonctif	
morí	muriera	muriese	muriere
moriste	murieras	murieses	murieres
murió	muriera	muriese	muriere
morimos	muriéramos	muriésemos	muriéremos
moristeis	murierais	murieseis	muriereis
murieron	murieran	muriesen	murieren

Se conjugue comme **morir** : **dormir**.

Verbes irréguliers

Seules les formes irrégulières sont mentionnées dans le tableau suivant :

Infinitif	Présent de l'indicatif	Impératif	Présent du subjonctif	Futur de l'indicatif
ANDAR				
CABER	**quepo,** cabes		**quepa**	cabré
CAER	**caigo,** caes		**caiga**	
CONDUCIR (et verbes en **-ducir**)	**conduzco,** ces		**conduzca**	
DAR	**doy,** das		**dé**	
DECIR	**digo,** dices	**di**	**diga**	diré
ERGUIR	**yergo, yergues**		**yerga**	
HACER	**hago,** haces	**haz**	**haga**	haré
IR	**voy, vas**	**ve**	**vaya**	
OIR	**oigo, oyes**		**oiga**	
PODER	**puedo, puedes**		**pueda**	podré
PONER	**pongo,** pones	**pon**	**ponga**	
QUERER	**quiero, quieres**		**quiera**	querré
SABER	**sé,** sabes		**sepa**	sabré
SALIR	**salgo,** sales	**sal**	**salga**	saldré
TRAER	**traigo,** traes		**traiga**	
VALER	**valgo,** vales	**val**	**valga**	valdré
VENIR	**vengo, vienes**	**ven**	**venga**	vendré
VER	**veo,** ves		**vea**	

non classés

Imparfait de l'indicatif	Passé simple	Imparfait du subjonctif	Gérondif	Participe passé
	anduve	anduviera		
	cupe	cupiera		
	conduje	condujera		
	di	diera		
	dije	dijera	diciendo	dicho
	hice	hiciera		hecho
iba, ibas...	fui	fuera		
			oyendo	
	pude	pudiera	pudiendo	
	puse	pusiera		puesto
	quise	quisiera		
	supe	supiera		
	traje	trajera	trayendo	
	vine	viniera	viniendo	
veía				visto

Emplois des auxiliaires

103. Haber

Il n'exprime jamais la possession.
Il est auxiliaire (pour l'emploi des temps composés de tous les verbes, transitifs, intransitifs, pronominaux) ou impersonnel.

a) Auxiliaire

He escrito a mi amiga Pilar. *(J'ai écrit à mon amie Pilar.)*
Nos hemos levantado a las seis. *(Nous nous sommes levés à six heures.)*

N.B. : Le participe passé employé avec **haber** est invariable. Auxiliaire et participe passé ne doivent pas être séparés.

Aquellas películas que **hemos apreciado** tanto. *(Ces films que nous avons tant appréciés.)*

b) Impersonnel (attention ! forme particulière **hay** au lieu de **ha** à la 3e personne du singulier du présent de l'indicatif).

Hay mucha gente en las tiendas.
Hubo también gran animación ayer. *(Il y eut aussi beaucoup d'animation hier.)*

Il sert à traduire l'**obligation** impersonnelle (**hay que).**

Hay que comer para vivir. *(Il faut manger pour vivre.)*
Habrá que esperar mañana. *(Il faudra attendre demain.)*

c) Quelques emplois particuliers

Hemos de terminar los ensayos esta tarde. *(Nous devons terminer les essais cet après-midi.)*

Haber de traduit une obligation personnelle (cf. « notion d'obligation ») ou plutôt un projet.

He aquí, he allí, he allá *(voici, voilà).*
¡ **Heme** aquí ! *(me voici !)*
Haber menester *(avoir besoin).*
Habérselas con alguien *(avoir affaire à quelqu'un).*

104. *Tener*

Traduit le français *avoir* (dans le sens de « posséder »).

> Este chico **tiene** una moto nueva. *(Ce garçon a une moto neuve.)*

Tener que + infinitif sert à traduire l'obligation personnelle (plus forte que *haber de*).

> **Tenemos que** estar en Sevilla el próximo domingo. *(Il faut que nous soyons à Séville dimanche prochain.)*

Il peut être aussi auxiliaire pour exprimer une action totalement accomplie. Dans ce cas, il y a **accord du participe passé.**

> **Tengo** escritas varias cartas. *(J'ai écrit plusieurs lettres, [elles sont là...])*

105. *Ser*

a) **Avec un nom attribut** (nature, profession, désignation sociale, familiale, signalement, nom propre, etc.).

> Su suegro **es** agricultor ; **es** asturiano. *(Son beau-père est agriculteur ; il est asturien.)*
>
> Enrique **es** mi primo ; **es** también mi amigo. *(Henri est mon cousin ; il est aussi mon ami.)*
>
> El señor Sánchez **es** farmacéutico y alcade a la vez. *(M. Sanchez est pharmacien et maire à la fois.)*
>
> Esta foto **es** un recuerdo. *(Cette photo est un souvenir.)*

Avec un nom également, pour traduire la matière, l'origine, la possession (par l'intermédiaire de la préposition **de**).

> La mesa **es de** roble. *(La table est en chêne.)*
>
> Mi amigo **es de** Salamanca. *(Mon ami est de Salamanque.)*
>
> Este escritorio **es del** siglo XVIII. *(Ce bureau est du XVIIIᵉ siècle.)*
>
> Aquellos discos **son de** tu hermana. *(Ces disques sont à ta soeur.)*

b) **Avec un pronom (personnel, possessif, démonstratif).**

> El responsable **es él.** *(Le responsable, c'est lui.)*
>
> Mi bolso **es éste.** *(Mon sac est celui-ci.)*
>
> Esa cartera **es tuya.** *(Ce portefeuille est à toi.)*

c) **Avec un nombre** (ou un indéfini traduisant une idée de quantité ou de classement).

> **Éramos** cuarenta ayer. *(Nous étions quarante hier.)*
>
> **Eran** muchos. *(Ils étaient nombreux.)*
>
> **Éramos** demasiados. *(Nous étions trop.)*
>
> **Soy** el primero, el último, el único. *(Je suis le premier, le dernier, le seul.)*

d) **Avec un infinitif.**

Leer es un placer. *(Lire est un plaisir.)*
Su deber **era** obedecer. *(Son devoir était d'obéir.)*

e) **Pour traduire la tournure copulative** *c'est, il est* (avec nom ou adjectif) ou **la tournure emphatique.**

Era un magnífico día de octubre. *(C'était une magnifique journée d'octobre.)*

Es fácil, agradable, delicado, útil, urgente, ... contestar a tal pregunta. *(Il est facile, agréable, délicat, utile, urgent, ... de répondre à une telle question.)*

El **fue** quien me trajo este regalo. *(C'est lui qui m'a apporté ce cadeau.)*

Exceptions : ¡ Está bien ! ¡ Está mal ! ¡ Ya está ! ¡ Está claro ! *(C'est bien ! C'est mal ! Ça y est ! C'est clair !)*

N.B. : Il ne faut pas confondre l'expression impersonnelle copulative **c'est** avec l'emploi de *estar + participe passé* exprimant une idée de résultat (voir plus loin) :

Está dicho. *(C'est dit.)*
Está acabado. *(C'est terminé.)*

Quelques emplois particuliers de *ser*

• Sens de *avoir lieu, se produire*

A las cuatro **fue** el entierro. *(L'enterrement eut lieu à quatre heures.)*
La escena **es** a orillas del Támesis. *(La scène se passe au bord de la Tamise.)*

• **Ser de**

¿ Qué **ha sido de** tu primo ? *(Qu'est devenu ton cousin ?)*
Es de día, **es de** noche. *(Il fait jour, il fait nuit.)*

• **Es de** = conseil :

Es de ver esta exposición. *(Cette exposition est à voir.)*
Erase que se **era**. *(Il était une fois...)*

SER	Nom	Mi vecino **es** catedrático. *(Mon voisin est professeur.)*
	Pronom	Mi hermano **es** éste ; este coche **es** tuyo. *(Voici mon frère ; cette voiture est à toi.)*
	Nombre	**Eramos** cincuenta. *(Nous étions cinquante.)*
	Infinitif	Mi placer **es** leer. *(Mon plaisir, c'est de lire.)*
	C'est	Hoy **es** domingo. *(C'est dimanche aujourd'hui.)*

106. Estar

a) Avec un complément ou un adverbe de lieu, avec un complément ou un adverbe de temps :

¿ Dónde **está** Luis ? *(Où est Louis ?)*

El pueblo **está** en la ladera de la sierra. *(Le village est sur le flanc de la montagne.)*

Estábamos en invierno. *(Nous étions en hiver.)*

¿ Cuándo **estarás** con nosotros ? *(Quand seras-tu avec nous ?)*

Pour la date :

Estábamos a 15 de noviembre. *(Nous étions le 15 novembre.)*

b) Pour traduire l'attitude, la manière (momentanée), la situation :

Estaba con los brazos caídos. *(Il était bras ballants.)*

Estar de pie, en cuclillas, en camisa, etc. *(Être debout, accroupi, en chemise, etc.).*

La peseta **está** a 6 centimos. *(La peseta est à 6 centimes.)*

Quelques emplois particuliers de *estar*

• **Estar + gérondif** *(Être en train de)*

Estaban comiendo. *(Ils étaient en train de manger.)*

• **Estar de** *(faire fonction, faire office de, avoir métier de).*

Estar de guarda. *(Être de garde.)*

El maestro **está de** secretario. *(Le maître d'école fait office de secrétaire.)*

• **Estar para** *(Être sur le point de ; Être disposé à...)*

Estoy para salir. *(Je suis sur le point de sortir.)*

No **estoy para** reír. *(Je ne suis pas d'humeur à rire.)*

• **Estar por.** *(Ce qui est à faire.)*

• **Estar sin.** *(Ce qui n'est pas fait.)*

La clase **está por** barrer. *(La classe est à balayer.)*

Su trabajo **está sin** corregir. *(Son travail n'est pas corrigé.)*

ESTAR	• Complément ou adverbe de lieu La iglesia **está** sobre la colina. *(L'église se trouve sur la colline.)* **Estoy** arriba. *(Je suis en haut.)* • Complément ou adverbe de temps **Estamos** en junio. *(Nous sommes en juin.)* ¿ Cuándo **estarás** ? *(Quand seras-tu là ?)* • Avec gérondif Papá **está leyendo** el periódico. *(Papa est en train de lire le journal.)*

107. *Ser / estar + adjectif*

SER
Pour traduire les qualités (physiques ou morales) considérées comme essentielles, entrant dans une définition, dans une caractéristique fondamentales (religieuses, sociales, etc.).

ESTAR
Sous-entend un état passager, non caractéristique ou exceptionnel (par rapport à l'habituel).

	SER
Qualités essentielles État-civil, social, religieux, origine...	La roca es dura. *(La roche est dure.)* Soy francés, tímido, rico, católico, etc. *(Je suis français, timide, riche, pauvre, catholique, etc.).*
Nature, couleur	La hierba es verde, el carbón es negro, la nieve es blanca. *(L'herbe est verte, le charbon est noir, la neige est blanche.)*
Forme, dimension	La tierra es redonda. Los Pirineos son altos. *(La terre est ronde ; les Pyrénées sont hautes.)*
Définition	Los hombres son mortales. *(Les hommes sont mortels.)* La nieve es fría. *(La neige est froide.)*
	ESTAR
Aspect momentané	Estoy confuso, triste, contento, satisfecho. La sopa está fría, caliente. *(Je suis confus, triste, content. La soupe est froide, chaude.)*
Situation exceptionnelle	¿ Estás sordo ? *(Es-tu sourd ?)* El cielo está gris *(Le ciel est gris.)* Ramona está guapa hoy. *(Raymonde est belle aujourd'hui.)*

Remarques :
1. Quelques adjectifs s'emploient toujours avec **ser** : feliz, infeliz, desdichado, dichoso, desgraciado.
2. Selon qu'il est employé avec **ser** ou avec **estar,** un même adjectif peut traduire des nuances différentes (aspect fondamental ou momentané).

• Caractéristique physique Ser ciego, sordo, mudo	• État, attitude momentanés Estar ciego, sordo, mudo
• Définition El mar es verde	• État passager El mar está verde
• Caractéristique morale Ser tímido	• État passager Estar tímido

3. Le sens peut même varier totalement :

> **Ser** bueno, ser malo. *(Être bon, méchant.)*
> **Estar** bueno, estar malo. *(Être en bonne santé, être malade.)*
> **Ser** listo. *(Être intelligent.)*
> **Estar** listo. *(Être prêt.)*

108. Ser / estar + participe passé

SER
Traduit *le passif,* c'est-à-dire l'action subie par le sujet et considérée dans son accomplissement (présent, passé ou futur).

ESTAR
S'emploie pour traduire le résultat d'une action antérieure (= faux passif).

SER	
Passif Action dans son accomplissement	Los campeones **fueron** vitoreados con aplausos. *(Les champions furent acclamés par des applaudissements.)* El desayuno **será** servido en el jardín. *(Le petit déjeuner sera servi dans le jardin.)*
ESTAR	
Résultat de l'action (faux passif)	La puerta **está** cerrada. *(La porte est fermée.)* Nuestro deber **está** cumplido. *(Notre devoir est accompli.)*

Remarque :

La présence du *complément d'agent* (introduit par **por**) ou *l'emploi du passé simple* - pretérito indefinido - (temps de l'action dans son accomplissement) sont deux éléments qui régissent l'emploi de **ser** à la forme passive.

> El niño **es amado por** sus padres. *(L'enfant est aimé par ses parents.)*
> Los reos **fueron** mandados a presidio. *(Les condamnés furent envoyés au bagne.)*

Mais ce n'est pas une règle absolue. La présence du complément d'agent peut ne pas correspondre à une véritable action (par exemple quand il n'y a pas de mouvement) donc, emploi de **estar** :

La llave **estaba** disimulada por un montón de libros. *(La clef était cachée par un tas de livres.)*

El sol **estaba** ocultado por las nubes. *(Le soleil était caché par les nuages.)*

109. *Les semi-auxiliaires*

Certains verbes, appelés semi-auxiliaires, peuvent être substitués aux auxiliaires habituels pour exprimer des nuances particulières.

• Resultar.
Employé fréquemment. Il donne à l'attribut un sens de « conséquence » :

Llovió mucho y la fiesta **resultó** un desastre. *(Il plut beaucoup et la fête fut un désastre.)*

En el combate, tres soldados **resultaron** heridos. *(Dans le combat, trois soldats furent blessés.)*

• Ir, andar, venir.
Traduisent un mouvement, une progression :

El señor alcade **iba** vestido con mucha elegancia. *(M. le Maire était habillé avec beaucoup d'élégance.)*

Después de tanto jugar, los niños **venían** muy cansados. *(Après avoir tant joué, les enfants étaient très fatigués.)*

Andrés **andaba** siempre metido en malos negocios. *(André était toujours engagé dans de mauvaises affaires.)*

• Hallarse, quedar, permanecer.
Donnent une idée de permanence, d'état final :

El asunto **quedó** zanjado. *(L'affaire se trouva tranchée.)*

El actor **permaneció** mudo algunos segundos. *(L'acteur resta muet quelques secondes.)*

Se hallaron bastante enfermos. *(Ils furent assez malades.)*

Les modes et les temps

110. L'infinitif

• **Précédé de l'article,** il prend une valeur de substantif :
> El saber es siempre útil. *(Le savoir est toujours utile.)*
> El murmurar de las fuentes. *(Le murmure des sources.)*

Et même parfois avec un verbe pronominal :
> El acostarse tarde le cansa. *(Le fait de se coucher tard le fatigue...)*

• **Al + infinitif**
Précédé de **al**, il traduit une simultanéité d'actions à un moment précis (traduction du français : quand, lorsque..., comme...).
> Al abrir la puerta, oí un ruido curioso. *(Comme j'ouvrais [Quand j'ouvris, Lorsque j'ouvris], la porte, j'entendis un bruit curieux.)*
> Al entrar el extranjero, hubo un silencio. *(Quand l'étranger entra, il y eut un silence.)*

• **Por + infinitif** (cause, motif, cf. 75)
> Por estar malo, no sale Enrique. *(Henri ne sort pas parce qu'il est malade.)*

• **Con + infinitif**
1. Sens de complément de manière identique au gérondif avec la nuance concessive *(rien que... tout en...).*
> Con (sólo) leer dos horas al día, sabrás mucho. *(Rien qu'en lisant deux heures par jour, tu apprendras beaucoup.)*

2. Sens plus restrictif correspondant à **aunque** *(bien que).*
> Con tener tantos años, aquel señor parece joven. *(Bien qu'il ait tant d'années, ce monsieur semble jeune.)*

• **A + infinitif** : valeur d'impératif :
> ¡ A comer ! ¡ a trabajar ! *(A table ! Au travail !)*

On trouve aussi tout simplement l'infinitif :
> ¡ Formar ! *(A vos rangs !).* ¡ Cuadrarse ! *(Fixe !)*

• **Después de**⎫
  Luego⎭ + infinitif → correspond à l'infinitif passé français :
> Después de escribir esta carta, la echaré al buzón. *(Après avoir écrit cette lettre, je la mettrai à la boîte.)*

Tras a le même emploi, mais s'utilise cependant plus volontiers avec l'infinitif passé :

> **Tras haber andado** tanto, estábamos rendidos de fatiga. *(Après avoir tant marché, nous étions rompus de fatigue.)*

• **Sin + infinitif**

a) Valeur de complément de manière :

> Me contestó **sin mirarme**. *(Il me répondit sans me regarder.)*

b) Avec les verbes auxiliaires ou semi-auxiliaires : **estar, quedar...** traduit la négation d'une action :

> Los cristales **estaban sin lavar**. *(Les vitres n'étaient pas lavées.)*
> El debate **quedó sin concluir**. *(Le débat resta sans conclusion.)*

Rappel

L'emploi de **por** indiquerait que l'action est à faire :

> El ejercicio **está por corregir**. *(L'exercice est à corriger.)*
> Todo **queda por decir**. *(Tout reste à dire.)*

• **Para + infinitif**
Traduit le but, l'intention :

> Vamos al campo **para descansar**. *(Nous allons à la campagne pour nous reposer.)*

• **De + infinitif**
Valeur de conditionnel comparable à l'hypothèse introduite par **si** dans les phrases conditionnelles :

> **De saberlo,** te lo diría. *(Si je le savais, je te le dirais.)*
> **De no hacerlo** tú, nadie lo hará. *(Si tu ne le fais pas, personne ne le fera.)*

• **A + infinitif** a le même emploi, mais introduit une idée négative (à moins que... si ce n'est pas) :

> No saldré, **a no ser** que haga buen tiempo. *(Je ne sortirai pas, à moins qu'il fasse beau.)*

111. Le participe passé

• Employé avec **haber** il est toujours invariable (cf. *haber*).

> Los libros que **hemos leído**. *(Les livres que nous avons lus.)*

• Il s'accorde avec les auxiliaires **tener, ser** et **estar** et avec les semi-auxiliaires **ir, venir, andar, hallarse, quedar, permanecer, resultar :**

Permanecían absortos en su trabajo. *(Ils étaient absorbés dans leur travail.)*

Andaban muy **cansadas** *(Elles étaient très fatiguées.)*

Dos obreros **resultaron heridos.** *(Deux ouvriers furent blessés.)*

• La **proposition participe** correspond à l'ablatif absolu latin (une fois...). Le participe doit toujours être placé en tête :

Terminadas las vacaciones, los colegiales vuelven a sus estudios. *(Une fois les vacances terminées, les collégiens retournent à leurs études.)*

Perdidas sus hojas, el cerezo parecía un esqueleto. *(Ayant perdu ses feuilles, le cerisier ressemblait à un squelette.)*

Cette proposition est assez fréquemment complément de manière :

Penetré en el salón, **perdida** por completo **la serenidad.** *(J'entrai dans le salon, ayant perdu toute sérénité.)*

Caminaba el hombre, **caídos los brazos.** *(L'homme avançait les bras ballants.)*

Me miró largamente, **abiertos los ojos** por el asombro... *(Il me regarda longtemps, les yeux ouverts d'étonnements...)*

Cette construction correspond au complément de manière introduit par **con,** où le participe reprend sa place :

Vino hacia mí **con** la mano **tendida** (= **tendida la mano**). *(Il vint vers moi la main tendue.)*

• **Participes passés à sens actif :**

Un discurso **aburrido** *(Un discours ennuyeux).*

Un espectáculo **divertido** *(Un spectacle amusant).*

Ainsi : **callado** *(muet),* **cansado** *(fatiguant),* **leído** *(lettré),* **esforzado** *(courageux),* **entendido** *(compétent),* **desconfiado** *(méfiant),* etc.

• Quelques verbes ont un double participe passé. L'un pour former les temps composés, l'autre plutôt adjectif (avec **estar, tener...**).

Bendecir *(bénir) :* **bendecido, bendito.**

Maldecir *(maudire) :* **maldecido, maldito.**

Oprimir *(opprimer) :* **oprimido, opreso.**

Incluir *(inclure) :* **incluído, incluso.**

Teñir *(teindre) :* **teñido, tinto,** etc.

• Il faut se souvenir que **quelques participes passés sont irréguliers.**

absolver : **absuelto**	ver : **visto**
hacer : **hecho**	romper : **roto**
decir : **dicho**	volver : **vuelto**
imprimir : **impreso**	*et les dérivés de* volver
morir : **muerto**	devolver : **devuelto**
poner : **puesto**	envolver : **envuelto**
resolver : **resuelto**	revolver : **revuelto**

112. Le gérondif

• Le gérondif est toujours invariable.

Emplois

a) Comme **complément de manière** ou pour traduire une action le plus souvent simultanée :

> Salió **riendo.** *(Il sortit en riant.)*
> Se pasa el domingo **mirando** la televisión. *(Il passe son dimanche à regarder la télévision.)*

b) Dans **une proposition absolue** (dont le sujet est différent de celui de la proposition principale). Il doit être en tête de la phrase :

> **Pasando** los años, el humor del anciano cambiaba mucho. *(Les années passant, le caractère du vieillard changeait beaucoup.)*

c) Précédé de **estar, ir, venir, seguir, continuar, andar,** le gérondif indique que l'action est en train de se dérouler.
– **Estar + gérondif** *(être en train de...)*

> Todos **estaban comiendo.** *(Ils étaient tous en train de manger.)*

– **Seguir, continuar + gérondif** *(continuer à...)*.

> Los soldados **siguen luchando.** *(Les soldats continuent à se battre.)*

– **Ir, venir, andar + gérondif :** l'action se fait graduellement *peu à peu, petit à petit...)* ou se poursuit.

> Los chicos **van haciendo** progresos. *(Les enfants font des progrès.)*
> Una tropa de gitanos **venía cantando.** *(Une troupe de gitans chantait.)*
> **Andaban fumando** sin cesar. *(Ils fumaient sans arrêt.)*

113. L'indicatif

En principe, les emplois de l'indicatif espagnol sont les mêmes que ceux de l'indicatif français.

Néanmoins, on peut souligner quelques emplois particuliers.

• **Le présent** pour donner à la narration plus de rapidité, de vivacité, avec l'expression **por poco** (même si la phrase est au passé) :

> **Por poco me embiste** un coche que salió de une bocacalle. *(Un peu plus, voilà que me renverse une auto, surgie d'une rue transversale.)*
> Al primero que se mueva, le **mato.** *(Je vais tuer le premier qui bouge.)*

Le présent après un superlatif, cf. 30.

• **Le passé simple** (pretérito indefinido) que le français emploie de moins en moins, mais que l'espagnol utilise couramment pour une action qui s'est accomplie à un moment précis et qui est achevée au moment où l'on parle :

> El mes pasado me **tocó** la lotería. *(Le mois dernier, j'ai gagné à la loterie.)*

93

• **Le passé composé** (pretérito perfecto o presente perfecto).
Pour une action située dans un espace de temps non encore terminé (action dont les conséquences se prolongent) :

La ciencia **ha progresado** mucho en el presente siglo. *(La science a beaucoup progressé au cours de ce siècle.)*

• **Le futur**
Pour traduire une idée d'hypothèse dans la proposition principale **(futur d'hypothèse)** exprimée en français par le verbe *devoir* au présent ou par les expressions *peut-être, sans doute... :*

Mis padres no están en casa ; **estarán** de compras. *(Mes parents ne sont pas à la maison ; ils doivent faire des courses.)*

N.B. : Dans les mêmes circonstances exprimées au passé, on emploiera le conditionnel présent (Cf. conditionnel d'hypothèse) :

La del alba **sería** cuando Don Quijote salió. *(Ce devait être l'aube quand Don Quichotte partit...)*

Le futur s'emploie, comme en français, pour traduire l'interrogation indirecte :

¿ Sabes si **estará** Pedro ? *(Sais-tu si Pierre sera là ?)*
No sé cuándo **vendrá** *(Je ne sais pas quand il viendra.)*

N.B. De la même manière, l'interrogation au passé amènera un conditionnel :

No sabíamos si **estaría** Miguel. *(Nous ne savions pas si Michel serait là.)*
Me preguntaba cuándo **vendrías** *(Je me demandais quand tu viendrais.)*

114. Le conditionnel

• **Dans la proposition principale,** le conditionnel a les mêmes emplois qu'en français :

Yo te **llamaría** si tuviera tiempo. *(Je t'appellerais si j'avais le temps.)*

On l'a vu *(cf. Futur),* le conditionnel traduit l'hypothèse dans le passé :

Serían las dos cuando la tierra empezó a temblar. *(Il devait être deux heures quand la terre s'est mise à trembler.)*

• **Dans la proposition subordonnée,** il s'emploie après un verbe au passé exprimant une affirmation, une opinion, une promesse, une conviction, etc.

Me dijo que **vendría** a visitarme. *(Il m'a dit qu'il viendrait me rendre visite.)*
Estaba seguro de que **llovería.** *(J'étais sûr qu'il pleuvrait.)*

• **Dans l'interrogation indirecte** (cf. futur), on le trouve après le verbe d'interrogation à un temps passé :

¿ Sabías cómo **haríamos** ? *(Savais-tu comment nous ferions ?)*

(L'interrogation indirecte est introduite par un pronom ou un adverbe, *avec accent*, ou bien par la conjonction **si**.)

Tableau de l'emploi du futur et du conditionnel

Proposition principale	Hypothèse	**Futur :** Serán las diez. **Cond. :** Serían las diez.
Proposition subordonnée	Verbe d'opinion, d'affirmation, etc.	**Futur :** Luis me promete que **vendrá** **Cond. :** Luis me prometió que **vendría**
Interrogation indirecte	Après un verbe d'interrogation suivi de pronom ou adverbe ou de si	**Futur :** Me pregunto / No sé quién / cómo, cuándo, si } **vendrá** **Cond. :** Me preguntaba, / no sabía quién, / cómo, cuándo, si } **vendría**

115. L'impératif

1. Ses formes

• L'impératif emprunte ses formes à l'indicatif présent et au subjonctif présent.

La 2e personne du pluriel s'obtient par l'infinitif amputé de son **r** final que l'on remplace par un **d** :

lavar → lava**d**

comer → come**d**

salir → sali**d**

• Pour les formes réfléchies, la 1re et la 2e personnes du pluriel perdent respectivement leur **s** et leur **d** final devant le pronom :

lavemos **nos** → lavémonos *(lavons-nous)*

lavad **os** → lavaos *(lavez-vous)*.

• Le pronom est enclitique à la forme affirmative (ne pas oublier l'accent écrit quand il le faut) :

¡ **escúchela** ! *(écoutez-la)*

¡ **escondámoslos** ! *(cachons-les)*

¡ **repítelo** ! *(répète-le)*.

- Il n'y a pas d'enclise dans l'impératif de défense :
  ¡ no me lo digas ! *(ne me le dis pas !)*
  ¡ no te levantes ! *(ne te lève pas !).*

Verbe	Indicatif présent		Impératif	Subjonctif présent	
en -**AR** (lavar)	lav	o		lav	e
	–	as	lava (tú)	–	es
	–	**a** ↗	lave (vd)	← –	e
	–	amos	lavemos (nosotros)	← –	**emos**
	–	áis	lavad (vosotros)	–	éis
	–	an	laven (vds)	← –	**en**
en -**ER** (comer)	com	o		com	a
	–	es	come (tú)	–	as
	–	**e** ↗	coma (vd)	← –	a
	–	emos	comamos (nosotros)	← –	**amos**
	–	éis	comed (vosotros)	–	áis
	–	en	coman (vds)	← –	**an**
en -**IR** (subir)	sub	o		sub	a
	–	es	sube (tú)	–	as
	–	**e** ↗	suba (vd)	← –	a
	–	imos	subamos (nosotros)	← –	**amos**
	–	ís	subid (vosotros)	–	áis
	–	en	suban (vds)	← –	**an**

L'interdiction (ou impératif négatif)

En français, l'impératif précédé de « ne », exprime la défense ; en espa-gnol, la forme négative du **subjonctif** se substitue à l'impératif :

impératif	défense	impératif	défense
habla (tú)	no hables	come (tú)	no comas
hable (usted)	no hable	coma (usted)	no coma
hablemos	no hablemos	comamos	no comamos
hablad	no habléis	comed	no comáis
hablen (ustedes)	no hablen	coman (ustedes)	no coman
sube (tú)	no subas		
suba (usted)	no suba		
subamos	no subamos		
subid	no subáis		
suban (ustedes)	no suban		

Impératif des verbes pronominaux

Verbe en **-AR** lavarse (*se laver*)		Verbe en **-ER** esconderse (*se cacher*)	Verbe en **-IR** unirse (*s'unir*)
lávate	(tú)	escóndete	únete
lávese	(vd)	escóndase	únase
lavémonos	(nos)	escondámonos	unámonos
lavaos	(vos)	escondeos	uníos
lávense	(vds)	escóndanse	únanse

Rappelons que l'impératif de défense emprunte *toutes* ses formes au subjonctif présent :

No te laves ; no te escondas ; no te unas...

2. Ses emplois

Sont normalement ceux de l'impératif français.
Néanmoins, on peut le remplacer par l'infinitif (ton plus familier) :

Llevárselo, dijo el capitán. (*Emmenez-le, dit le capitaine.*)
No molestar. (*Ne dérangez pas.*)
No hacer ruido (*Ne faites pas de bruit.*)

116. *Le subjonctif*

C'est le mode de la **subordination** (relation de dépendance entre deux actions possibles), de l'**hypothèse,** du **doute,** de la **possibilité.**
On l'emploiera pour traduire :

1. L'ordre et l'interdiction
à certaines personnes de l'**impératif** (cf. tableau de l'impératif).

2. Le souhait (l'optatif)

¡ **Que aproveche !** (*Bon appétit !*)
¡ **Que te diviertas !** (*Amuse-toi bien !*)

Ojalá
Plega a Dios } + **Subjonctif présent** (*pourvu que*)

¡ **Ojalá** no **llueva** mañana ! (*Pourvu qu'il ne pleuve pas demain !*)
¡ **Plega a Dios hagas** un buen viaje ! (*Pourvu que, plaise à Dieu que tu fasses un bon voyage !*)

Ojalá
Pluguiera a Dios } **+ Subjonctif imparfait**

traduit le souhait rétrospectif, donc le **regret,** le **remords** *(Ah, si seule-*
ment !, Plût à Dieu que... !)

¡ **Ojalá** no la **hubiera** conocido ! *(Ah s'il ne l'avais pas connue !)*
¡ **Pluguiera a Dios** le **imitara** ! *(Ah si seulement je pouvais l'imi-*
ter !)

3. La possibilité
dans la proposition principale avec **tal vez, quizá, quizás, acaso,** placés
devant le verbe :

¡ **Quizás** no **esté** en casa tu hermano ! *(Peut-être ton frère n'est-il*
pas chez lui !)
¡ **Acaso** no **estuviera** ! *(Peut-être n'était-il pas là !)*

(Il faut remarquer que cette construction correspond à la tournure interrogative française.) Ces adverbes peuvent aussi être suivis de l'indicatif,
plus particulièrement lorsqu'ils sont derrière le verbe.

Lloverá acaso mañana. *(Il pleuvra peut-être demain.)*

N.B. : L'expression **a lo mejor** s'emploie toujours à l'indicatif.

4. La subordination (voir « la proposition subordonnée »).

117. *L'imparfait du subjonctif*

L'imparfait du subjonctif se retrouve à partir de la 3e personne du pluriel
du passé simple et possède deux formes, en **ra** et en **se.**

Cantaron ↗ canta**ra**, cantaras, cantara, cantáramos, cantarais, canta
ran
↘ canta**se**, cantases, cantase, cantásemos, cantaseis, cantasen

Tuvieron ↗ tuvie**ra**, tuvieras, tuviera, tuviéramos, tuvierais, tuvieran
↘ tuvie**se**, tuvieses, tuviese, tuviésemos, tuvieseis, tuviesen.

Il est d'un emploi courant en espagnol, car on respecte la règle de la
concordance des temps.
La forme normale de l'imparfait du subjonctif est la forme en **se** (la
forme en **ra** est plus souple et a d'autres emplois). Cependant, en ce qui
concerne la concordance des temps ou l'emploi de la phrase condition-
nelle, on a de plus en plus tendance à employer l'une ou l'autre forme,
sans distinction.

Emplois particuliers de la forme en *ra*

1. L'imparfait du subjonctif en **ra** dans la proposition principale peut avoir le sens d'un **conditionnel** ou d'un **conditionnel passé** :

Antes **muriera** que faltar a su honra. *(Il serait plutôt mort que de manquer à son honneur.)*

2. Il peut également dans la subordonnée, remplacer le **plus-que-parfait de l'indicatif** :

El asunto le ocupó más tiempo de lo que **pensara**. *(L'affaire l'occupa plus longtemps qu'il n'avait pensé.)*

3. Quién + 3ᵉ personne du singulier de l'imparfait du subjonctif en **ra** traduit le souhait (irréalisable) exprimé à la 1ʳᵉ personne :

¡ **Quién tuviera** veinte años ! *(Ah ! si j'avais vingt ans !)*

Autres emplois de l'imparfait du subjonctif

1. Après **como si, lo mismo que si, igual que si** (ou après un comparatif : **más que si, menos que si, mejor que si, peor que si,** etc.) :

Me mira **como si** no me conociera. *(Il me regarde comme s'il ne me connaissait pas.)*

2 Les verbes **haber** et **querer** emploient volontiers l'imparfait du subjonctif à la place du conditionnel dans la proposition principale :

Hubiera preferido no encontrarle. *(Il aurait préféré ne pas le rencontrer.)*

Quisiera ir de vacaciones. *(Je voudrais aller en vacances).*

Remarque :
Le futur du subjonctif
Sa forme est en **re** (cantare...). Employé autrefois pour traduire l'hypothèse, il est tombé en désuétude.

118. La proposition subordonnée

Si, à quelques exceptions près, le temps de la **proposition principale** espagnole correspond à celui de la proposition principale française, il n'en est pas de même pour ce qui concerne la **proposition subordonnée.** Tout comme le nom, la proposition subordonnée peut être sujet, attribut ou complément d'un autre terme de la phrase. Elle est surtout régie par l'emploi du mode subjonctif. A la différence du français, elle obéit à des règles strictes de concordance des temps.

Emploi du subjonctif

Dans la proposition subordonnée, on emploie le subjonctif quand l'action n'est pas encore réalisée, soit dans les principaux cas suivants :

1. Après les verbes exprimant la volonté, l'ordre, la défense, la permission, le désir, la crainte, la suggestion, le conseil, la prière, etc.

quiero, ordeno, permito, prohibo, deseo, temo, sugiero, suplico, aconsejo, pido, ... que me escuches. *(Je veux, j'ordonne, je permets, j'interdis, je désire, je crains, je suggère, je supplie, je conseille, je demande..., que tu m'écoutes.)*

Te **pido** que vengas. *(Je te demande de venir.)*

Le **ruego** [que] reciba mis saludos. *(Je vous prie d'agréer mes salutations.)*

Nos **dice** que le esperemos. *(Il nous dit de l'attendre.)*

N.B. : Les verbes **mandar** et **hacer** peuvent s'employer avec le subjonctif ou avec l'infinitif selon que leur complément est exprimé sous la forme d'un nom ou d'un pronom :

El oficial manda a los soldados que **se pongan** en fila. *(L'officier ordonne aux soldats de se mettre en rangs.)*

El oficial **les manda** ponerse en fila. *(L'officier leur ordonne de se mettre en rangs.)*

2. Après les expressions impersonnelles traduisant un conseil, une règle à observer : **hace falta que, es necesario que, es menester que, es preciso que, es posible que, es urgente que, conviene que...** *(il faut que, il est nécessaire que, il est possible que, il est urgent que, il convient que...)*, ou certains verbes traduisant un sentiment ou un jugement de valeur personnel : **me alegro que, siento que, lamento que, me gusta que...** *(Je me réjouis que, je regrette que, j'aime que...)*

Es mejor que no hayas venido. *(Il vaut mieux que tu ne sois pas venu.)*

Es urgente que salgamos de este apuro. *(Il est urgent que nous nous sortions de cet embarras.)*

3. Dans les propositions finales (traduisant un but poursuivi) introduites par les locutions conjonctives **para que, a fin de que, con objeto de que, por miedo (a) que, por temor de que, hasta que** [sauf si cette dernière a un sens de conséquence] *(pour que, afin que, en vue de, de peur que, jusqu'à ce que...)*

et **dans les propositions restrictives** après **antes (de) que, a menos que, a nos ser que, con tal que, sin que...** *(avant que, à moins que, à condition que, sans que...)*.

Insisto **para que** me contestes. *(J'insiste pour que tu me répondes.)*

No puedo hablar **sin que** me interrumpas. *(Je ne peux pas parler sans que tu m'interrompes.)*

No salgas **hasta que** te dé el permiso. *(Ne sors pas avant que je t'en donne l'autorisation.)*

4. Après les verbes déclaratifs, exprimant l'affirmation, la certitude, la conviction ou la supposition (croire, penser...) quand il sont à la forme négative ou interrogative. (La forme affirmative exige l'emploi de l'indicatif.) :

> No creo que sea la verdad. *(Je ne crois pas que ce soit la vérité.)*
> No hay testigo que lo pueda confirmar. *(Il n'y a pas de témoin qui puisse le confirmer.)*
> ¿ Hay alguien que hable francés ? *(Y a-t-il quelqu'un qui sache parler le français ?)*

5. Dans la proposition subordonnée faisant fonction de sujet (et précédée de **el** *(le fait que)* :

> El que me lo digas me extraña. *(Le fait que tu me le dises, m'étonne.)*

6. Cf. 90, 119, 120, 121 et 122.

119. L'hypothèse dans la proposition subordonnée

Après une **conjonction de temps** ou après un **relatif** introduisant une idée d'éventualité, d'incertitude, l'espagnol emploie dans la proposition subordonnée :

1. Le subjonctif présent (à la place du futur de l'indicatif français) si le verbe de la proposition principale est à l'**impératif** ou au **futur de l'indicatif.**

> Cierra la puerta **cuando salgas.** *(Ferme la porte quand tu sortiras.)*
> Haré **lo que quieras.** *(Je ferai ce que tu voudras.)*
> Llámame **luego que** lo **puedas.** *(Appelle-moi dès que tu le pourras.)*

2. L'imparfait du subjonctif (à la place du conditionnel français) si le verbe de la proposition principale est au conditionnel présent.

> Daría una fortuna al que le **quisiera** ayudar. *(Je donnerais une fortune à celui qui voudrait m'aider.)*

Rappelons les **conjonctions** et **relatifs** le plus souvent employés pour introduire la proposition subordonnée hypothétique.
Conjonctions : **Cuando ; asi que, luego que ; en cuanto ; mientras ; tan pronto como ; a medida que ; conforme ; según.**
Relatifs : **Lo que, el, la (último, primero, etc.) que ; como ; donde ; quien.**

La subordonnée hypothétique

Proposition principale		Proposition subordonnée
Futur de l'indicatif **Impératif**	→	**Subjonctif présent**
Te prestaré este servicio	cuando así que luego que en cuanto mientras tan pronto como	me lo pidas.
(Je te rendrai ce service	*quand, dès que...*	*tu me le demanderas.)*
Prestaré este servicio	al que, a la que, a quien	me lo pida.
(Je rendrai ce service	*à celui, celle, qui*	*me le demandera.)*
Haré, Haz	como, lo que	quieras.
(Je ferai, Fais	*comme, ce que*	*tu voudras.)*
Iré, Vete	a donde	quieras.
(J'irai, Va-t-en	*où*	*tu voudras.)*
Te lo contaré todo	a medida que conforme según	lo sepa.
(Je te raconterai tout	*à mesure que*	*je le saurai.)*

Proposition principale		Proposition subordonnée
Conditionnel	→	**Subjonctif Imparfait**
Te prestaría este servicio	cuando	me lo pidieras.
(Je te rendrais ce service	*dès que*	*tu me le demanderais.)*
Prestaría este servicio	al que, a la que	me lo pidiera.
(Je rendrais ce service	*à celui qui*	*me le demanderait.)*
Haría	como, lo que	quisieras.
(Je ferais	*comme, ce que*	*tu voudrais.)*
Iría	a donde	quisieras.
(J'irais	*où*	*tu voudrais.)*
Te lo contaría todo	a medida que	lo supiera.
(Je te raconterais tout	*à mesure que*	*je le saurais.)*

120. La concordance des temps

Dans les cas que nous venons d'exposer, il conviendra d'employer dans la proposition subordonnée :

1. Le subjonctif présent
Si le verbe de la proposition principale est au présent ou au futur de l'indicatif (ou encore à l'impératif).

2. Le subjonctif imparfait
Si le verbe de la proposition principale est à un temps passé (imparfait, passé simple, temps composés...) ou au conditionnel.

Tableau de la concordance des temps

	Proposition principale	Proposition subordonnée
1	1. Mis abuelos quieren (querrán) *(Mes grands-parents veulent [voudront]* 2. Es (será) necesario *(Il faut, il faudra* 3. Insisto, insistiré, insiste tú *(J'insiste, j'insisterai, insiste* 4. No estoy (estaré) seguro de *(Je ne suis, ne serai pas* 5. Me gusta (me gustará) *(J'aime, j'aimerai*	que yo les escriba. *que je leur écrive.)* que vengas pronto. *que tu viennes vite.)* para que salga con nosotros. *pour qu'il sorte avec nous.)* que haga buen tiempo. *sûr qu'il fasse beau temps.)* que me acompañes. *que tu m'accompagnes.)*
2	1. Mis abuelos querían (quisieron, han querido, habían querido, hubieron querido, querrían) *(Mes grands-parents voulaient, voulurent, ont voulu, voudraient)* 2. Era, fue, ha sido, había sido, hubo sido, sería necesario *(Il fallait, il fallut, il a fallu... il faudrait)* 3. Insistía, insistí, he insistido, había insistido, hube insistido, insistiría *(J'insistais, j'insistai, j'ai insisté... j'insisterais)* 4. No estaba, estuve, he estado, había estado, hube estado, estaría seguro *(Je n'étais pas, ne fus, n'ai été... ne serais pas sûr)* 5. Me gustaba, gustó, ha gustado, había gustado, hubo gustado, gustaría *(J'aimais, j'aimai, j'ai aimé,... j'aimerais)*	que yo les escribiera [escribiese] *que je leur écrive.)* que vinieras [vinieses] pronto. *que tu viennes vite.)* para que saliera [saliese] con nosotros. *pour qu'il sorte avec nous.)* de que hiciera [hiciese] buen tiempo. *qu'il fasse beau temps.)* que me acompañaras [acompañases]. *que tu m'accompagnes.)*

121. *La phrase conditionnelle*

Deux aspects sont à envisager :

1. La condition est envisagée comme très hypothétique ou comme irréalisable : conditionnel irréel. La **proposition principale** est au **conditionnel**, la **proposition subordonnée** introduite par **si** est à l'**imparfait du subjonctif** :

> **Saldría** de paseo **si haciera** buen tiempo. *(J'irais faire une promenade s'il faisait beau temps.)*
> Te **acompañaría** si lo **quisieras**. *(Je t'accompagnerais si tu le voulais.)*

2. La condition est envisagée comme possible, la proposition principale est au futur de l'indicatif (ou à l'impératif) et la subordonnée au présent de l'indicatif :

> Si lo **puedo,** te **llamaré** el domingo. *(Si je peux, je t'appellerai dimanche.)*
> **Avísame** si quieres venir conmigo. *(Préviens-moi si tu veux venir avec moi.)*

Remarque :
Dans cette dernière tournure, à la place de **si + présent de l'indicatif,** on peut employer **como + présent du subjonctif :**

> Podré leer un poco **si** me **dejas** tranquilo.
> Podré leer un poco **como** me **dejes** tranquilo.
> *(Je pourrai lire un peu si tu me laisses tranquille.)*

La phrase conditionnelle

	Proposition principale		Subordonnée
	Conditionnel présent	SI	**Subjonctif imparfait**
	Terminaría este trabajo	si	me diera la gana.
	Futur de l'indicatif	SI	**Indicatif présent**
	Impératif	COMO	**Subjonctif présent**
	Terminaré este trabajo	si	me da la gana.
	Terminaré este trabajo	como	me dé la gana.

122. *La proposition concessive*

La notion de concession est exprimée par les prépositions ou locutions prépositives :

Aunque, a pesar de que ; *bien que..., quoique...*
Aun cuando ; *quand bien même.*

Por más que
Por mucho que   } + verbe
Por mucho (a, os, as) + substantif... que
Por muy   + adjectif...   que

\ gallicisme :
/ *avoir beau.*

La proposition subordonnée introduite par ces prépositions est régie par :

1. L'indicatif (présent ou imparfait) s'il s'agit d'*un fait réel* (considéré comme connu puisqu'il est exprimé au présent ou au passé dans la proposition principale (cf. **aunque**).

Aunque **es** tímido se atreve a contestar. *(Bien qu'il soit timide, il ose répondre.)*

A pesar de que **comía** mucho, Enrique no engordaba. *(Bien qu'il mangeât beaucoup, Henri ne grossissait pas.)*

N.B. : Néanmoins le subjonctif peut être admis dans tous les cas :
Aunque **sea** tímido se atreve a contestar.

2. Le subjonctif (présent ou imparfait) s'il s'agit d'une simple *hypothèse* (cf. subordonnée hypothétique), c'est-à-dire correspondant au futur de l'indicatif ou au conditionnel dans la proposition principale.

Aunque no me lo **digas,** lo sabré. *(Même si tu ne me le dis pas, je le saurai.)*

A pesar de que me lo **dijeses,** no te creería. *(Même si tu me le disais, je ne te croirais pas.)*

Les expressions : **por más que ; por mucho (a, os, as)... que ; por muy... que** permettent une plus grande souplesse, car elles peuvent faire porter la concession sur le verbe, le substantif ou l'adjectif. Mais l'emploi du verbe, comme précédemment, est soumis à l'emploi de l'indicatif ou du subjonctif. (Des variantes sont possibles selon les nuances de sens que l'on veut donner à la phrase.) Voir exemples dans le tableau, p. 106.

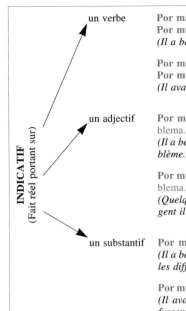

INDICATIF
(Fait réel portant sur)

un verbe

Por más que
Por mucho que } **insiste,** no le escucho.
(Il a beau insister, je ne l'écoute pas.)

Por más que
Por mucho que } **insistía,** no le escuchaba.
(Il avait beau insister, je ne l'écoutais pas.)

un adjectif

Por muy inteligente que **es,** no sabe resolver este problema.
(Il a beau être intelligent, il ne sait pas résoudre ce problème.)

Por muy inteligente que **era,** no sabía resolver este problema.
(Quelque intelligent qu'il fût / Il avait beau être intelligent il ne savait pas résoudre ce problème.)

un substantif

Por muchas dificultades que **encuentra,** las domina.
(Il a beau rencontrer des difficultés / Quelles que soient les difficultés qu'il rencontre, il les domine.)

Por muchas dificultades que **encontraba,** las dominaba.
(Il avait beau rencontrer des difficultés / Quelles que fussent les difficultés qu'il rencontrait, il les dominait.)

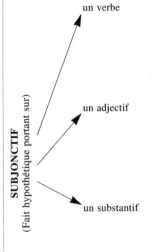

SUBJONCTIF
(Fait hypothétique portant sur)

un verbe

Por más que
Por mucho que } **insista,** no le escucharé.
(Il aura beau insister, je ne l'écouterai pas.)

Por más que
Por mucho que } **insistiera,** no le escucharía.
(Il aurait beau insister, je ne l'écouterais pas.)

un adjectif

Por muy numerosos que **seamos,** haremos poco ruido.
(Nous aurons beau être nombreux, nous ferons peu de bruit.)

Por muy numerosos que **fuésemos,** haríamos poco ruido.
(Nous aurions beau être nombreux, nous ferions peu de bruit.)

un substantif

Por mucho dinero que **tengas,** no podrás comprarte esta casa.
(Tu auras beau avoir de l'argent, tu ne pourras pas t'acheter cette maison.)

Por mucho dinero que **tuvieras,** no podrías comprarte esta casa.
(Tu aurais beau avoir beaucoup d'argent, tu ne pourrais pas t'acheter cette maison.)

123. *L'affirmation, la cause, la conséquence*

1. Dans la **proposition complétive,** après un verbe déclaratif à la forme affirmative **(declarar, anunciar, decir, afirmar, prometer, pretender, estimar, pensar, estar seguro de que, estar persuadido de que,** etc.) ou une expression impersonnelle déclarative **(es evidente que,** etc.), on emploie le présent ou le futur de l'indicatif (cf. 123) :

La meteorología anuncia que **lloverá** mañana. *(La météo annonce qu'il pleuvra demain.)*

Es evidente que **hará** muy mal tiempo. *(Il est évident qu'il fera mauvais temps.)*

Le verbe de la proposition principale au passé, entraîne l'emploi du conditionnel :

La meteorología **había** anunciado que **llovería**. *(La météo avait annoncé qu'il pleuvrait.)*

Era evidente que nuestros amigos **vendrían** en coche. *(Il était évident que nos amis viendraient en voiture.)*

2. Dans l'**interrogation indirecte** (cf. interrogatifs) introduite par un pronom, un adverbe avec accent : **qué, cuál, quién, cuándo, cómo, dónde...** ou par la conjonction **si**) :

Mambrú se va a la guerra, no sé cuándo **vendrá** *(Malbrough s'en va-t-en guerre, ne sais quand reviendra.)*

Me pregunto cómo **hará** para terminar el trabajo. *(Je me demande comment il fera pour terminer son travail.)*

Ignoro cuándo **volverán** mis padres. *(J'ignore quand reviendront mes parents.)*

No sé si **llegarán** a tiempo. *(Je ne sais pas s'ils arriveront à temps.)*

De la même manière que précédemment, l'interrogation indirecte au passé nécessite la forme du **conditionnel** (futur dans le passé).

Ignoraba cuándo **volverían** mis padres. *(J'ignorais quand mes parents reviendraient.)*

Me preguntaba cómo **haría**. *(Je me demandais comment je ferais.)*

No sabía si **llegaría**. *(Je ne savais pas s'il arriverait.)*

3. Dans la **proposition causale** (ou explicative) introduite par **porque** *(parce que)* ; **puesto que, ya que** *(puisque)* ; **pues** *(car)* ; **dado que** *(étant donné que)* :

No te importuno **ya que** no me quieres contestar. *(Je te laisse tranquille puisque tu ne veux pas me répondre.)*

4. Dans la **proposition consécutive** introduite par **de modo que, de tal modo que** *(de telle façon que)* ; **de tal manera que** *(de telle sorte que)* ; **tan** (adjectif ou adverbe) **... que** *(si... que, tellement... que)* ; **tanto que** *(si bien que)* :

Tengo **tanto** trabajo **que** no **puedo** salir. *(J'ai tellement de travail que je ne peux pas sortir.)*

Hablaba **tan** fuerte **que** nos **ensordecía** a todos. *(Il parlait si fort qu'il nous rendait tous sourds.)*

5. Dans les **expressions superlatives**

> Es el chico **más** simpático que **conozco.** *(C'est le garçon le plus sympatique que je connaisse.)*
>
> Era la dificultad **mayor** que nunca **habíamos** encontrado. *(C'était la plus grande difficulté que nous eussions jamais rencontrée.)*

6. Quand la notion d'hypothèse ou de condition disparaît (c'est-à-dire quand le verbe de la **proposition principale** employé au **présent** ou au **passé de l'indicatif** ne peut qu'exprimer un fait connu, réalisé) :

> Me pongo un jersey **cuando tengo frío.** *(Je mets un pull-over quand j'ai froid.)*
>
> **Si me fastidias** me voy. *(Si tu m'embêtes, je m'en vais.)*
>
> Se ponía colorado **cuando le hablaban.** *(Il devenait tout rouge quand on lui parlait.)*
>
> Acostumbraba hablar en voz alta **si estaba** solo. *(Il avait coutume de parler à haute voix s'il était seul.)*

7. Emploi de **hasta que.**

a) Il est suivi du subjonctif dans les propositions finales traduisant un but poursuivi (conditionnel ou futur de l'indicatif dans la proposition principale).

> Te esperaré **hasta que salgas.** *(Je t'attendrai jusqu'à ce que tu sortes.)*
>
> Me gustaría dormir **hasta que desapareciera** mi cansancio *(J'aimerais bien dormir jusqu'à ce que ma fatigue disparaisse.)*

b) On emploiera l'indicatif si l'action est présentée sous l'aspect d'une conséquence (présent ou passé de l'indicatif dans la proposition principale).

> Suele trabajar **hasta que se siente** cansado. *(Il a coutume de travailler jusqu'au moment où il se sent fatigué.)*
>
> Le miré desde la ventana **hasta que desapareció.** *(Je le regardais par la fenêtre jusqu'au moment où il disparut.)*

8. Aunque (cf. 91, 122).

124. *La notion d'obligation*

1. L'obligation impersonnelle (français : *il faut* + *indicatif*).

a) **Hay que + infinitif**

> **Hay que actuar** con mucho cuidado. *(Il faut agir avec beaucoup d'attention.)*
>
> **Habrá que esperar** bastante tiempo. *(Il faudra attendre assez longtemps.)*
>
> **Hubo que caminar** en silencio. *(Il fallut avancer en silence.)*

b) **Es preciso**
   Es menester ⎫ **+ infinitif**
   Es necesario ⎭

    Es preciso salir en orden. *(Il faut sortir en ordre.)*
    Será menester terminar pronto. *(Il faudra finir vite.)*

c) **Hace falta** (idée de manque) ⎫
   Se debe (obligation morale) ⎬ **+ infinitif**
   Es de (conseil) ⎭

    Hace falta tener dinero. *(Il faut avoir de l'argent.)*
    Se debe escuchar. *(Il faut écouter.)*
    Es de admirar cómo trabaja. *(Il faut admirer comme il travaille.)*

2. L'obligation personnelle (français : *je dois, tu dois ; il faut que je, que tu...*).

a) **Tener que** (conjugué à la personne convenable) **+ infinitif**.
    Tienes que decirme la verdad. *(Tu dois me dire la vérité.)*
    Tendremos que estar allí a las seis. *(Nous devrons y être à 6 heures.)*

b) **Es preciso** ⎫
   Es menester ⎪
   Es necesario ⎬ **que + subjonctif**
   Hace falta ⎭

(Concordance des temps) :
    Es preciso que me lo **digas.** *(Il faut que tu me le dises.)*
    Era necesario, Hacía falta que lo **supiésemos.** *(Il fallait que nous le sachions).*

c) **Haber de** (conjugué) **+ infinitif**
(Obligation moins marquée ; simple intention ou même équivalence d'un futur) :
    He de ir a ver a mis abuelos. *(Je dois aller voir mes grands-parents.)*
    Has de saber que tu amigo ha preguntado por ti. *(Sache que ton ami t'a demandé.)*
    Hemos de salir esta noche. *(Nous sortirons ce soir.)*

d) **Deber**
    Debo estar en casa lo antes posible. *(Je dois être chez moi le plus tôt possible.)*

N.B. : Ne pas confondre avec **deber de,** qui ne traduit pas une obligation, mais simplement une conjecture :
    Renato **debe de** haber perdido el tren. *(René a sans doute raté le train.)*

125. *Différents aspects de l'action*

1. Soler } + infinitif
Acostumbrar }

marquent la fréquence d'une action (exprimée en français par les adverbes « d'ordinaire », « d'habitude », « généralement », ou par l'expression « avoir coutume de ») :

> El anciano **solía** madrugar para cuidar las gallinas. *(Le vieillard avait coutume de se lever tôt pour soigner les poules.)*
> *Aquí* **suele** nevar hasta el mes de marzo. *(Il neige généralement ici jusqu'au mois de mars.)*
> Mi madre **acostumbraba** acompañarme a la escuela. *(Ma mère avait l'habitude de m'accompagner à l'école.)*

2. Volver a } + infinitif
Tornar a }

verbe conjugué + { de nuevo
{ otra vez

s'emploient pour indiquer l'itération (c'est-à-dire une répétition de l'action rendue en français par le verbe + *de nouveau* ou précédé du préfixe *re-*) :

> El niño **volvió a** hacer su ejercicio.
> El niño **tornó a** hacer su ejercicio.
> El niño hizo **de nuevo** su ejercicio.
> El niño hizo **otra vez** su ejercicio.
> *(L'enfant refit son exercice, fit de nouveau.)*

3. Acabar de + infinitif

Action récente (français : *venir de*).

> Tu tío **acaba de** salir. *(Ton oncle vient de sortir.)*

4. Tratar de }
Probar a (de) } + infinitif
Intentar }
Procurar }

traduisent l'intention (français : *essayer de*).

> Con dificultad, el pobre **trató de** levantarse.
> Con dificultad, el pobre **intentó** levantarse.
> Con dificultad, el pobre **procuró** levantarse.
> *(Avec difficulté, le pauvre essaya de se lever.)*

5. Traduction du verbe français *devenir* :

a) **Ponerse :** employé seulement devant un adjectif. Traduit une transformation **momentanée.**

> Él **se puso** colorado cuando le miré. *(Il devint tout rouge quand je le regardai.)*

b) **Volverse :** avec adjectif ou nom, donne une idée de transformation **durable** ou même **définitive :**

> Se ha vuelto loca. *(Elle est devenue folle.)*
> Bajo la nieve, el jardín se ha vuelto una alfombra blanca. *(Sous la neige, le jardin est devenu un tapis blanc.)*

c) **Hacerse :** équivaut au français *se faire :*

> Te haces viejo. *(Tu te fais vieux.)*

ou exprime une intention délibérée :

> Se hizo monje. *(Il est devenu moine.)*

d) **Convertirse en :** avec un nom seulement :

> El patio se ha convertido en un lodazal. *(La cour est devenue un bourbier.)*

e) **Venir a ser, llegar a ser :** idée de progrès (social, physique, moral...) :

> El cura de este pueblo llegó a ser obispo. *(Le curé de ce village est devenu évêque.)*

126. *Verbes impersonnels*

Ce sont les verbes qui ne s'emploient qu'à la 3ᵉ personne du singulier :
bastar *(suffire)* ; **convenir** *(convenir)* ; **importar** *(importer)* ; **parecer** *(sembler) :*

> ¡ Basta con eso ! *(Ça suffit comme ça !)*

La plupart sont relatifs au temps qu'il fait :
llover *(pleuvoir)* ; **nevar** *(neiger)* ; **helar** *(geler)* ; **granizar** *(grêler)* ; **tronar** *(tonner),* etc.

Attention à la diphtongaison de certains d'entre eux : **llueve, nieva, hiela, truena.**

D'autres traduisent l'événement *(arriver, se produire) :* **pasar ; ocurrir ; acontecer ; suceder ; acaecer :**

> ¿ Qué le pasa a usted ? *(Que vous arrive—t-il ?)*
> ¿ Qué ocurre ? *(Que se passe-t-il ?)*

Traduction de *il y a* :

L'expression impersonnelle française se rend par :
• **hay** *(il y a),* había *(il y avait),* hubo *(il y eut),* ha habido *(il y a eu),* etc.

> Hay mucho ruido en la calle. *(Il y a beaucoup de bruit dans la rue.)*

• **hace** (hacía, hizo...) devant un **complément de temps :**

> Hace tres años que le conozco. *(Il y a trois ans que je le connais).*

Placé après le complément, **hace** devient **ha :**

> Tres semanas ha que desapareció. *(Il y a 3 semaines qu'il a disparu.)*

127. *Verbes affectifs*

Dans beaucoup de verbes ou de tournures qui traduisent les sentiments, les émotions, les goûts, les impressions, le sujet apparaît comme subissant ce sentiment ou cette émotion : le complément français devient sujet du verbe (donc uniquement employé à la 3e personne du singulier ou du pluriel) et le sujet devient complément sous la forme d'un pronom d'attribution :

> **Me gustan** las matemáticas *(Les mathématiques me plaisent)*, qu'on traduira par : *j'aime les mathématiques.*
> ¿ **Te gustó** la película ? *(Tu as aimé le film ?)*

S'emploient ainsi les verbes :

- **gustar, agradar** *(plaire)* ; **sentar** *(seoir, aller bien)* :
> Nos **gusta** / **agrada** pasear. *(Nous aimons nous promener.)*
> Te **sienta** bien esta chaqueta. *(Cette veste te va bien.)*

- **pesar, costar** *(causer du regret, de la douleur)* :
> Le **pesa** hablar inglés. *(Il a du mal à parler anglais.)*
> Me **cuesta** confesarlo. *(J'ai du mal à l'avouer.)*

- **tocar, caber** *(échoir)*, **corresponder** *(concerner)* :
> A ti te **toca** hablar. *(C'est à toi de parler.)*
> No me **cupo** la suerte. *(Je n'ai pas eu de chance.)*

Certains de ces verbes s'emploient sous la forme réfléchie :

- **ocurrirse** *(venir à l'esprit, avoir l'idée de)* :
> **Se me ocurrió** tomar un paraguas. *(J'eus l'idée de prendre un parapluie.)*

Attention aux pronoms d'attribution : se **me**, se **te**, se **le**, se **nos**, se **os**, se **les**.

Ils se construisent ainsi :

- **antojarse** *(avoir la fantaisie de, sembler, paraître)* :
> **Se le antoja** ponerse a cantar. *(Il lui prend la fantaisie de se mettre à chanter.)*

- **olvidarse** *(oublier, sortir de la tête)* :
> **Se nos había olvidado** avisarles de nuestra visita. *(Nous avions oublié de les prévenir de notre visite.)*

- **figurarse** *(imaginer)* :
> No **se os figuraba** que era tan difícil. *(Vous n'imaginiez pas que c'était aussi difficile.)*

- **dar**

Employé dans de nombreuses locutions affectives :

> ¿ Qué más te **da** ? *(Qu'est-ce que cela peut te faire ?)*
> Me **da** asco. *(J'ai horreur de...)*
> Me **da** miedo. *(J'ai peur de...)*
> Me **da** pena. *(Je suis peiné de...)*
> Me **da** vergüenza. *(J'ai honte de...)*
> *Me* **da** lástima. *(J'ai pitié de...)*
> Me **da** por... *(J'ai envie de, j'ai la fantaisie de...)*.

Éléments de versification espagnole

Pour déterminer le nombre de pieds d'un vers espagnol, on compte les syllabes jusqu'à la dernière voyelle tonique et l'on ajoute une syllabe fictive si le dernier mot du vers est **agudo.**

Par exemple, dans un vers octosyllabique (8 pieds), la dernière syllabe accentuée doit être la 7e :

> Voces de muerte sonaron
> Cerca del Guadalquivir.
> Voces antiguas que cercan
> Voz de clavel varonil.   *F. García Lorca.*

Le second vers et le quatrième vers sont **agudos** (7 pieds), les autres sont **llanos** (8 pieds).

De la même façon, dans un vers hendecasyllabique (11 pieds), la dernière syllabe accentuée est la 10e (cette syllabe accentuée peut être suivie d'une et exceptionnellement de deux syllabes atones) :

> Volverán las oscuras golondrinas
> en tu balcón sus nidos a colgar.   *G.A. Bécquer.*

• Pour le décompte des syllabes, il faut toutefois tenir compte de deux phénomènes métriques qui peuvent réduire ou accroître le nombre de ces syllabes : la **synalèphe** qui réduit le vers et le **hiatus** qui l'allonge.

• La **synalèphe** (phénomène le plus fréquent) réunit en une syllabe la fin d'un mot et le début du suivant. Elle diffère de l'élision utilisée dans la versification française dans la mesure où chaque voyelle garde sa sonorité. Un phénomène proche est la **synérèse** qui réunit au sein d'un même mot en une syllabe des voyelles « fortes » qui ne peuvent former une diphtongue et que l'on prononce plus vite pour en réduire la durée.

113

Exemples de synalèphes :
Será de noche en lo oscuro
por los montes imantados.   *F. García Lorca.*

Y a la media noche ululan.   *A. Machado.*

Sombras que sólo yo veo,
me escoltan mis dos abuelos.   *N. Guillén.*

• **Le hiatus :** chaque voyelle garde sa durée propre.
Le hiatus, à l'intérieur d'un mot, dissocie une diphtongue en deux syllabes **(diérèse).**

Exemple de hiatus :
Tiempo [es ya Castillejo
tiempo [es de andar de aquí.   *Cristóbal de Castillejo.*

Ces deux vers sont des **octosyllabes.** Le premier n'a le nombre de pieds nécessaire que si l'on fait le hiatus **po [es.** Dans le second, le même hiatus est suivi de deux synalèphes : de andar, de aquí.

La rime et l'assonance

1. Rime

Deux mots riment ensemble lorsque leurs lettres finales sont identiques à partir de la dernière voyelle tonique :
Andaluces de Ja**én**
acceituneros alt**ivos,**
decidme en el alma, ¿ qui**én,**
quién levantó los ol**ivos** ?   *Miguel Hernández.*

Les rimes peuvent être plates, croisées ou embrassées :
Muerta cuidad de señ**ores**
soldados y cazad**ores** ;
de portales con esc**udos**
de cien linajes hid**algos**
y de famélicos g**algos**
de galgos flacos y ag**udos**
que p**ululan**
por la sórdidas call**ejas,**
y a la media noche **ululan**
cuando graznan las corn**ejas.**   *Antonio Machado.*

2. L'assonance est plus fréquente que la rime dans la poésie espagnole.

Deux vers sont assonancés lorsque le son de la dernière voyelle tonique et de la dernière voyelle du mot se ressemblent :

Mozuelas las de mi barrio,
loquillas y confiadas
mirad no os engañe el tiempo
la edad y la confianza.
No os dejéis lisonjear
de la juventud lozana,
porque de caducas flores
teje el tiempo sus guirnaldas.   *Luis de Góngora.*

Ces vers sont assonancés **a-a.**
Il s'agit d'un *romance* où seuls les vers pairs sont assonancés.

Principaux types de vers

La poésie espagnole a une gamme très riche de vers et de combinaisons lyriques.
Les principaux sont :
le *mestre de juglería* « Cantar de Mio Cid », le *mester de clerecía* ou *cuaderna vía,* quatrain de vers de 14 syllabes, soit deux hémistiches de six syllabes plus une.

Au XVᵉ siècle, apparaissent les vers d'*Arte mayor* de 12 syllabes :
Al muy prepotente don Juan el segundo...   *Jean de Mena.*

Dans les *Coplas* de Jorge Manrique, les **octosyllabes** alternent avec les **tétrasyllabes.**

Nuestras vidas son los ríos
que van a dar en la mar
que es el morir.
Allí van los señoríos
derechos a se acabar
y consumir.   *Jorge Manrique.*

Les *villancicos* populaires mêlent les **octosyllabes** aux **pentasyllabes.**

• **L'hendecasyllabe** est le vers épique par excellence, beaucoup plus fréquent que celui d'*arte mayor,* un peu compassé. D'origine italienne, il a été introduit en Espagne par Garcilaso de la Vega (1501-1536) qui l'a utilisé notamment dans ses *Eglogues* et dans ses *sonnets :*

En tanto que de rosa y azucena
se muestra la color en vuestro gesto,
y que vuestro mirar ardiente, honesto,
con clara luz la tempestad serena,

          ...   *Garcilaso de la Vega.*

EXERCICES

L'accent tonique

Accentuer convenablement les textes suivants :

A. « Otro dia me pregunto mi madre que era lo que yo pensaba hacer. Yo habia visto a Manolete. Empezo mas pobre y desgraciado que yo. Tu lo sabes. Y en poco tiempo se hizo millionario. Le compro una casa a su madre y un piano a su hermana. Amigos y admiradores le rodeaban siempre. Y la Prensa no hablaba mas que de sus triunfos. Un dia me arrime a el, incluso llegue a tocarle, y vi que era de carne y hueso como yo. Hablaba tan bien como cualquiera y de lo que todo el mundo. No tenia un cerebro extraordinario, como Einstein o como Garcia Lorca. Era sencillamente un hombre como yo y como tu, como todos... Y si el habia conseguido todo aquello sin ningun don especial, ¿ por que no habria de lograrlo yo tambien ? Asi que le conteste a mi madre que seria torero. Desde ese dia tuve que luchar con ella, pero al fin me sali con la mia. »

Angel María de LERA.

B. Aquel dia en el cafe que esta proximo a la Estacion del Este, Juan y Antonio cenaron con muchisimo apetito. Este pidio media botella de Jerez para acompañar los entremeses, y aquel solo bebio agua con gas. Tras una conversacion amistosa fertil en anecdotas, subitamente Juan se puso colorado y dijo con confusion, volviendose hacia su comensal : « Dime, Antonio, no se en que estoy pensando, pero me doy cuenta de que esta mañana me fui de casa de prisa, y aqui estoy sin ningun dinero, ¡ fijate ! No se donde tengo la cabeza, se me olvido tambien pasar por el Banco. Prestame dos mil pesetas, porque sin ti no se que hacer. Te las devolvere lo antes posible, creeme ». Antonio se rio : « Devuelvemelas cuando puedas, dijo prestandole la cantidad solicitada, eso no tiene importancia... » Y, con algun tono de burla añadio : « No te cobrare ningun interes, no es mi caracter ».

A. Mettre au singulier les phrases suivantes :

1. Los bigotes de los profesores.
2. Las chimeneas de las casas.
3. Hablamos a los directores.
4. Lo diremos a las secretarias.
5. Las actuaciones de los artistas.

B. Mettre au pluriel les phrases suivantes :

1. La hija del doctor.
2. El periódico de la semana pasada.
3. Contesta a la pregunta.
4. La clave del enigma.
5. La mano del cirujano.

C. Employer, lorsque c'est nécessaire, l'article qui convient :

1. Iré a visitarte ... sábado entre ... una y ... dos de la tarde.
2. ... ave negra se encaramó en ... haya frondosa de la colina.
3. Saliendo ... Palacio, ... Rey asistió a ... misa de ... once.
4. A ... 18 años un joven es mayor de edad.
5. Mi hijo estudia ... álgebra y ... aritmética.
6. ... secretaria dijo ... señor Pérez : ... señor Director, le ha llamado ... señor Presidente a ... tres de ... tarde.
7. No sorprendió a nadie ... que le hubieran mandado ... paseo.
8. Nos gustó mucho nuestra vuelta a ... Italia. Visitamos ... Piamonte y ... Toscana artística.
9. Entre ... monumentos ... más famosos, ... torre Eiffel es ... edificio ... más visitado.

D. Mettre au singulier les phrases suivantes :

1. Las águilas negras anidan en las cumbres de las altas sierras.
2. Se dice que las Adelas tienen las almas cándidas.
3. Las amapolas rojas crecen cerca de las aguas de los arroyuelos.
4. Las amas de casa tienen a veces las actividades más ingratas.
5. las americanas también les gustan las armas en las películas del Oeste.
6. Los ladrones disimularon las alhajas en las arcas profundas.
7. Las hachas de los leñadores cortaron los troncos de las hayas.
8. Las astas afiladas de los toros son unas amenazas terribles para el torero.
9. Las hadas aparecieron detrás de los árboles de las alamedas.

10 Omission de l'article défini

Traduire :

1. Ce diplomate a résidé au Pérou, en Équateur et en Bolivie.
2. Le Mulhacen est le pic le plus haut d'Espagne.
3. Les criminels les plus dangereux étaient envoyés au bagne.
4. J'ai visité l'Italie, l'Allemagne, la Suisse et les États-Unis.
5. La reine sortit du palais pour aller à la messe.
6. Cet aventurier a vécu au Mexique, au Pérou et au Japon. Il part demain pour l'Allemagne de l'Est.

11 L'article neutre *lo*

A. Transformer les phrases suivantes selon le modèle :

La película se cortaba en el momento mas emocionante
→ *La película se cortaba en **lo** más emocionante.*

1. Muchos espectadores reían en el momento más dramático.
2. Sólo ves el aspecto agradable del espectáculo.
3. No te fijes en el aspecto comercial de esta película.
4. La cosa que más me gustaba era ir al cine.
5. Habían colocado carteles en la parte alta del edificio.
6. La parte más delicada del español es la gramática.
7. Estoy todavía preocupado por lo que pasó el año pasado.
8. No hay que lamentar las cosas que han sido hechas.

B. Transformer les phrases suivantes selon le modèle :

¡ No puedes saber cuánto son simpáticos estos chicos !
→ *¡ No puedes saber **lo** simpáticos que son estos chicos !*

1. Es difícil decir cuánto esta chica es guapa.
2. ¡ Date cuenta cómo el tiempo está lluvioso hoy !
3. ¡ Mira, qué caras están las alcachofas hoy !
4. ¡ Fíjate cuánto son ricos estos empresarios !
5. No es fácil imaginar cómo nuestras vacaciones fueron desagradables.
6. Me acuerdo de que su conversación era amistosa.

12-14 L'article indéfini

Employer ou non, suivant les cas, l'article indéfini :

1. El buitre es ... ave de rapiña.
2. ¡ Vuelva Usted ... otro día !
3. De ... trago se bebió ... media botella de vino.
4. Después de ... tan fuerte emoción, se quedó atónito.
5. Esta señora debe de tener ... cincuenta años.
6. Su novia le ofreció ... gemelos de oro.
7. En ... semejante ocasión, hay que actuar con ... cierta precaución.
8. Había en el pueblo ... cuantas tabernas.
9. Con ... gran amistad Juan me dio ... fuerte palmada en el hombro.
10. ... hacha puede ser ... herramienta muy útil como ... arma terrible.

15-19 Le nom et l'adjectif

A. Mettre au féminin les phrases suivantes :

1. El director es amable, acogedor y cortés.
2. Este obrero es trabajador, competente y hábil.
3. El profesor es catalán, de padre andaluz.
4. Nuestro doctor es hombre bonachón, bastante regordete.
5. El atleta es un muchacho joven y musculoso.
6. El Superior del convento es un hombre superior.

B. Mettre au singulier :

1. Los importantes intereses de los bancos ingleses.
2. Las canciones tristes de los poetas bretones.
3. Los factores económicos actuales y los problemas industriales.
4. Estos andaluces tienen voces muy graves.
5. Los tiburones son peces muy feroces.
6. Los análisis permitieron descrubrir los focos de las enfermedades.

C. Mettre au pluriel :

1. El hijo del marqués es holgazán, descarado y respondón.
2. El bar de la ciudad sirve un café muy rico.
3. El capataz desempeña un papel difícil en la gran hacienda.
4. El rajá pasa sus vacaciones en el hotel suizo.
5. El delegado marroquí fue acogido por el ministro sudanés.
6. El jueves era el día de recepción del embajador israelí.

D. Mettre au masculin :

1. La poetisa japonesa era una profesora reservada y humilde.
2. La artista española es una cantante conocida.
3. Fue una enemiga infiel, engañosa y traidora.
4. La reina anglosajona tenía una confidente habladora y taimada.
5. La emperatriz alemana aplaudió a la actriz irlandesa.
6. La bailarina argentina es amiga de la doctora.

19 Pluriel du nom et de l'adjectif

Mettre au pluriel :

1. El pez nada en el río, en el rincón donde el agua es profunda.
2. El jabalí es un animal feroz y rencoroso.
3. El tisú gris del jubón del gentilhombre.
4. El lápiz azul sirvió para escribir la canción.
5. El juez examinó el rubí abandonado por el ladrón.
6. La crisis económica afecta el sector agrícola e industrial.
7. Este joven tiene una mirada vivaz e inteligente.
8. El dominó es un juego apreciado por el viejo maestro.
9. Cualquiera que sea la dificultad, el arquitecto iraní la resuelve.
10. La maestra, que era muy cortés, la pareció una mujer superior.
11. El poeta alemán hará una conferencia el miércoles.
12. El convoy militar pasa por el arrabal de la gran ciudad.
13. El joven papá espera a su hijo a la salida del colegio.

20-21 Les diminutifs

Donner le diminutif le plus courant des mots suivants :

1. mozo	**10.** amiga	**19.** trozo	**28.** niña
2. Luis	**11.** rey	**20.** bajo	**29.** lección
3. señora	**12.** cerca	**21.** doctor	**30.** pie
4. huevo	**13.** árbol	**22.** joven	**31.** papel
5. ahora	**14.** Carmen	**23.** mesa	**32.** libro
6. hombre	**15.** pastor	**24.** mano	**33.** rapaz
7. coche	**16.** flor	**25.** luz	**34.** cuerno
8. pan	**17.** liebre	**26.** perro	**35.** papá
9. viento	**18.** calor	**27.** tren	**36.** vapor

23 Suffixes exprimant l'idée de « coup »

Employer les suffixes qui conviennent dans les phrases suivantes :
1. El pintor añadió un(a) (pincel) a su lienzo.
2. El cazador se abrió camino a (codos) y a (puños).
3. Era un viejo soldado que había recibido más de un (sable).
4. El toro se desplomó tan pronto como recibió el (la) (estoque).
5. El pobre chico se dio un(a) (martillo) en el dedo.
6. En la lejanía se oían (balas) y (cañones).
7. El soldado había sido herido a (puñal).
8. Se oyeron fuertes (puerta) tan ruidosos como (fusil).

24 Suffixes collectifs

Trouver les noms collectifs correspondant aux définitions :

Un lugar plantado de **1. arroz - 2. patatas - 3. pinos - 4. encinas - 5. castaños - 6. robles - 7. manzanos - 8. fresnos.**

Un lugar donde hay **9. muchas piedras - 10. mucho lodo - 11. muchas zarzas - 12. mucho barro - 13. muchas cañas.**

25-26 Les comparatifs

A. **Compléter les phrases suivantes :**
1. Los Pirineos no son ... altos ... los Alpes.
2. El Ecuador no tiene ... petróleo ... Méjico.
3. El león no es ... rápido ... la gacela.
4. Me da igual : me gusta ... ir al cine ... al teatro.
5. Portugal tiene ... superficie ... España.
6. A veces, hace ... calor en España ... en Africa.
7. ... vale pájaro en mano ... ciento volando.
8. Argentina exporta ... carne ... consume.
9. Parece ... viejo ... es realmente.
10. Pedro trabaja ... ... afirma.
11. No hemos tenido ... cosechas ... el año pasado.
12. No sé trabajar ... rápidamente ... tú.
13. Miente un poco, sus resultados son ... buenos ... suele decir.
14. Esta tienda no tiene ... buena fama ... la de enfrente.
15. El problema me pareció ... difícil ... dijo el profesor.
16. Enrique compró un coche ... barato ... tiene Juan.

B. Traduire :

1. Je n'ai pas autant de patience que toi.
2. Vu de près, il est moins grand que je ne croyais.
3. Nous serons mieux dans la salle à manger que dans la cuisine.
4. Ils sortirent aussi vite qu'ils étaient entrés.
5. J'essaierai de traduire ce texte aussi fidèlement que je pourrai.
6. Viens me voir autant de fois que tu voudras.
7. Nous ne pouvons pas sortir autant que nous le voudrions.
8. Elle a de meilleurs résultats que ceux qu'elle avait l'an dernier.
9. L'or vaut beaucoup plus que l'argent.
10. Je bois autant de vin que d'eau.

27 « Autant ... autant »

Traduire :

1. Autant d'enfants, autant de problèmes.
2. Autant d'excès de vitesse, autant d'accidents.
3. Autant Louis est travailleur, autant son frère est paresseux.
4. Autant je l'ai admiré autrefois, autant je le méprise maintenant.
5. Autant la mère est jolie, autant la fille est laide.
6. Autant le Nord est vert, autant le Sud est désertique.
7. Autant j'aime mon père, autant je le crains.
8. Autant d'amis, autant de joies.

28 « Plus ... plus », « moins ... moins »

A. Compléter les phrases suivantes :

1. ... difícultades encuentra, ... le agrada resolverlas.
2. ... culto es, ... modesto se muestra.
3. ... dormimos, ... sueño tenemos.
4. ... se desarolle la robótica, ... paro habrá.
5. ... suerte tiene, ... le envidian sus amigos.
6. ... amigos tiene, ... abandonado se siente.
7. ... se dedica a su trabajo, ... descuida a su familia.
8. ... ricos son, ... tristes parecen.
9. ... vacaciones tenemos, ... queremos tener.
10. Es un sabio : ... dinero tiene, ... feliz se siente.

B. Traduire :

1. Plus il voyage, plus il veut voyager.
2. Plus ses parents vieillissent, plus il les aime.

122

3. Moins il y a de difficultés, plus il fait d'erreurs.

4. Moins nous travaillons, moins nous voulons travailler.

5. Moins tu mangeras, mieux tu te porteras.

6. Moins tu parleras, moins tu diras de bêtises.

7. Plus nous sommes vieux, plus nous avons d'expérience.

8. Plus il fait chaud, plus il devient nerveux.

9. Plus il a de livres, moins il lit.

10. Moins il a de ressources, plus il aime dépenser.

29 « D'autant plus ... que », « d'autant moins ... que »

A. Transformer les phrases suivantes selon le modèle :

Hace progresos, posee facilidades
→ Hace tantos más progresos cuantas más facilidades posee.

1. Leía con pasión, le prestaban libros.

2. Corre con velocidad, es joven.

3. Habla con precipitación, es nervioso.

4. Trabaja con mucho ardor, le pagan bien.

5. Come con apetito, su madre es buena cocinera.

6. Progresa sin esfuerzos, es muy inteligente.

7. Compra pocos tebeos, su familia es numerosa.

8. Merece la victoria, ha tenido muchas dificultades.

9. Le pareció famosa la cerveza, tenía mucha sed.

10. Tenía impaciencia para llegar, tenía poca gasolina.

B. Completer les phrases suivantes :

1. Caminaba con ... pena ... cansado estaba.

2. Hablaba con ... prisa ... dificultades tenía para expresarse.

3. Trabajaba con ... ardor ... resultados obtenía.

4. Bebe ahora ... agua ... vino bebía antes.

5. Consumimos ... carbón ... reservas de leña tenemos.

6. Afirma las cosas con ... convicción ... argumentos tiene.

7. Estoy ... contento ... días de vacaciones voy a tener.

8. Hace ... frío ... peor funciona la calefacción.

9. Se apegan a la tierra con ... ardor ... dura es.

10. Robaba con ... escrúpulos ... ricos eran los dueños.

C. Traduire :

1. Je suis d'autant plus triste que nous sommes en hiver.

2. Nous sommes d'autant plus ravis que nos parents nous accompagneront.

3. Il faut que je m'en aille, d'autant plus qu'on m'attend.

4. Je le trouve sympathique d'autant plus qu'il est mon cousin.
5. Je me sens d'autant plus soulagé qu'il y aura un docteur avec nous.
6. Il était d'autant moins fier qu'on l'avait surpris en train de voler.
7. Il aurait dû partir plus tôt, d'autant plus que je l'avais prévenu.
8. Je me sens d'autant moins à l'aise que je ne suis pas chez moi.

30 Le superlatif relatif

Compléter les phrases par un article (si nécessaire), et par la forme verbale qui convient :

1. Es ... día más caluroso que (tener) este mes.
2. ... panadería del pueblo es ... tienda más moderna de todas.
3. ... mejor película que nunca (ver) era ... de Fellini.
4. Es ... menor cosa que (poder) hacer para él.
5. Méjico es ... gran ciudad, ... ciudad ... más poblada de América Latina.
6. Diciembre había sido ... mes ... peor que (conocer).
7. Nuestros vecinos son ... personas más amables que se (poder) imaginar.
8. ... pinturas de Velázquez me parecen ... obras ... más representativas del Siglo de Oro.
9. Es ... museo ... menos interesante que nunca (visitar).
10. ... día ... más largo del año es el 21 de junio.

31 Le superlatif absolu

A. Mettre au superlatif les adjectifs soulignés, d'après le modèle :

Aquel propietario es un señor muy rico
→ *Aquel propietario es un señor riquísimo.*

1. Ha escrito un artículo interesante sobre la situación económica de la región.
2. Con este sombrero Rosita está guapa.
3. La última interrogación me pareció fácil.
4. Esta secretaria no me parece eficaz.
5. Es difícil hacer una obra divertida.
6. El corregidor era una persona notable del lugar.
7. Al entrar en el comedor la señora notó un olor acre.
8. Nos sirvieron un café rico.
9. Es gente amable.
10. Las relaciones entre vecinos eran simpáticas.

B. Donner le superlatif correspondant aux adjectifs suivants :

1. muy pequeño	**5.** muy modesto	**9.** muy alta	**13.** muy inteligente
2. muy feroz	**6.** muy capaz	**10.** muy pobre	**14.** muy libre
3. muy agradable	**7.** muy miserable	**11.** muy seco	**15.** muy blanca
4. muy valiente	**8.** muy célebre	**12.** muy baja	**16.** muy ancha

32-33 L'apocope

A. Placer chaque mot de la liste à la place qui lui revient dans les phrases :

algún - alguna - alguno - buen - bueno - ciento - cien - cualquiera - cualquier - grande - gran - malo - mal - ninguno - ningún - primero - primera - primer - recientemente - recién - santo - san.

1. ¡ Qué suerte ! No tenemos ... trabajo que hacer para mañana.
2. Pero es posible que el profesor nos dé ... preparación para la semana que viene.
3. Con su pantalón ... planchado, el novio avanzaba con ... timidez.
4. Para los españoles, el martes es un día ..., un día de desgracias y de ... agüero.
5. La iglesia ha sido construída ... ; su ... Patrón es ... Pablo.
6. Aquel edificio ... que ves allí tiene más de ... años.
7. ¡ No digas ... cosa ! Reflexiona un poco antes de hablar.
8. No he leído ... de estos libros ; si hay uno ..., préstamelo.
9. El decano del pueblo tenía ... dos años y no padecía achaque...
10. ... que sea el tiempo, iré a verte ; espero que será ... día próximo.
11. Vaya usted hasta el semáforo y, después, doble a la derecha hasta la... bocacalle.
12. El Rey de Francia Francisco ... fue el principal enemigo de Carlos Quinto.
13. El ... libro de este escritor ha sido inmediatamente un ... libro.

B. Placer dans les phrases suivantes, selon le besoin, la forme normale ou apocopée des mots proposés :

1. Alguno, os, a, as ou **algún**
¿ Tienes ... bolígrafo o ... pluma que prestarme ? ¿ ... de vosotros puede ayudarme ?

2. Bueno, os, a, as ou **buen**
Entre los ... amigos que tengo, él se puede llamar un ... amigo, con un corazón verdaderamente ...

3. Cualquiera, cualquier
No es un hombre ... y no dice ... cosa.

4. Malo, os, a, as ou **mal**
Era un ... día, todo me parecía ... : ... el tiempo, ... la situación ... los negocios.

5. Ninguno, os, a, as ou **ningún**

No tengo ... idea de lo que vamos a hacer ; estoy seguro de que ... de las personas presentes lo sabe tampoco.

6. Ciento ou **cien**

... pesetas no valen ... francos ; tampoco lo valen ... cincuenta pesetas.

7. Uno, os, a, as ou **un**

– ¿ Tienes ... diccionario ? – Sí, tengo ... – ¿ Y ... hoja de papel ? – Sí, tengo ...

8. Recientemente ou **recién**

Han inaugurado ... la nueva exposición ; la sala, ... pintada, pudo acoger a los artistas que eran ... llegados en el pueblo.

9. Grande ou **gran**

El ... poeta vive en un casa ... de la ... Vía, cerca de un ... restaurante.

10. Primero, os, a, as ou **primer**

Hubo una gran ceremonia el ... día del mes ; en ... fila venían el ... Ministro y el Alcade.

11. Santo, os, a, as ou **San**

El 2 de noviembre es la celebración de todos los ..., de ... Juan como de ... Tomás, de ... Domingo como de ... Miguel. Claro que también se celebra a las ..., ... Ana igual que ... Catalina.

12. Tanto, os, a, as ou **tan**

El más joven no es ... alto como el mayor ; sin embargo, tiene ... vigor como él y ... cortesía.

34-37 La numération

A. Écrire en toutes lettres les nombres écrits ici en chiffres :

1. 711 et 1492 son fechas importantes en la historia de España.

2. Cervantes nació en 1547 y murió a los 69 años.

3. 200 000 dólares ; 502 479 pesetas ; el año 1986.

4. El famoso Dos de Mayo corresponde al año 1808.

5. 909 999 francos ; 77 707 liras.

6. En 1981, había unos 37 800 000 habitantes en España.

B. Compléter, suivant le cas, par un adjectif cardinal ou ordinal ou par une fraction (en toutes lettres) :

1. Se dice del Escorial que es la 8e maravilla del universo.

2. El rey de Francia Luis XIII fue el gran enemigo de Felipe IV.

3. Los 2/3 de la población del mundo no comen suficientemente.

4. Felipe II vivía en el siglo XVI.

5. Este mapa está a la escala de 1/100 000.

6. Nos dieron los resultados del concurso : soy el 3 622.

7. Sólo con 1/50 de la fortuna de este señor, me sentiría satisfecho.

8. Los 7/8 de la ciudad han sido devastados.

9. Fernando VII es el hijo mayor de Carlos IV.

10. Un grado representa 1/360 de la circonferencia.

11. Luis XIV de Francia era el yerno de Felipe IV de España.

12. El centímetro es la 1/100 parte del metro ; el milímetro es la 1/1 000 parte.

C. Traduire :

1. Tous les membres de la famille reçurent chacun une lettre.

2. Les nageurs avancèrent entre deux eaux.

3. Les deux piétons interrogèrent l'agent ; celui-ci répondit à tous les deux.

4. Les soldats défilaient avec chacun son fusil.

5. Il y avait une cinquantaine de maisonnettes près de la rivière.

6. Sur les deux rives du fleuve se promenaient des gens endimanchés.

7. Ces deux frères sont jumeaux ; tous les deux sont roux.

8. Les manifestants couraient, chacun avec son petit drapeau.

38-39 Les possessifs

A. Mettre l'adjectif ou le pronom possessif qui convient dans les phrases :

1. Amad a ... prójimos.

2. Un amigo ... ha preguntado por ti durante tu auscencia.

3. Los soldados deben obedecer a ... superiores.

4. Este paraguas es ... , señora, no es el de ... marido.

5. Es un egoísta, no piensa más que en lo ...

6. Tenemos ... motivos y sin duda tenéis ...

7. Esta grabadora no es ..., señor, es la de ... colega.

8. Siento mucho decírselo, señores, pero ... modales no me gustan.

9. No te metas en lo ..., no me meteré en lo ...

10. Compañeros, el Director os espera para que le digáis ... opiniones y ... deseos sobre el caso.

11. Niños, estos juguetes no son ... Jugad con ... bicicletas que están allí.

12. Siéntese cada uno en ... silla. Esta es ... , señora.

B. Modifier les phrases suivantes selon ce modèle :

¿ Se escaparon las gallinas del granjero ?
– Sí, se le escaparon.

1. ¿ Se murió el marido de mi vecina ?
2. ¿ Se estalló nuestro neumático durante el viaje ?
3. ¿ Se presentó a nuestra vista un espectáculo extraordinario ?
4. ¿ Ha pasado por su cabeza alguna idea extraña ?
5. ¿ Las lágrimas se escurrían por su cara ?
6. ¿ Se ha caído el pelo de usted ?
7. ¿ Se han acabado las cerezas de vuestro huerto ?
8. ¿ Enfermó vuestra hija menor ?
9. ¿ Nuestro perro se escapó del jardín ?
10. ¿ Salió la escena de tu memoria ?

40-41 Les démonstratifs

A. Choisir le mot qui convient :

1. ¿ De **quien / cual / quién / cuyo** son **aquéllas / esas / estos / éstas** gafas que están allí ?

2. **Éste / Ése / Aquel / Eso** pico que se divisa en la sierra, ¿ **cuál** / ¿ **que** / ¿ **quién** / ¿ **dónde** es ?

3. Me gusta mucho más **aquél / eso / este / esto** pequeño cuadro del siglo pasado que **aquél / ese / esto / eso** demasiado moderno y cargado de colores.

4. ¿ Qué prefiere Vd ? ¿ **Esos** / ¿ **Esas** / ¿ **Estas** / ¿ **Aquéllas** flores blancas o **esas / eso / estas / aquéllas** que están en el fondo de la tienda ?

5. **Éste / Aquél / Ese / Esto** tipo es antipático. ¡ Mira **esas / estas / estos / aquellos** manos de asesino !

6. No quiero oír más sobre **aquel. / eso. / este. / estos.**

7. ¿ Qué calle es **esa / ésta / aquella / este** con **aquellos / aquél / ésos / éstos** curiosos edificios ?

8. ¿ Te acuerdas de **aquel / este / ése / aquél** día en que nos conocimos, durante **ésa / esta / aquella / eso** primavera tan lluviosa ?

9. De **este / esta / ésta / ésa** chaqueta azul o de **aquella / esa / ésa / éste,** verde, ¿ cuál prefieres ?

10. Resolver **aquella / esta / ésta / este** problema, **eso / ese / éste / aquél** es difícil.

B. Mettre au pluriel, quand cela est possible, les adjectifs et pronoms démonstratifs soulignés :

1. <u>Este</u> señor es más moreno que <u>aquél</u>.
2. <u>Ese</u> teatro está más lejos que <u>éste</u>.
3. <u>Aquel</u> día fue más lluvioso que <u>éste</u>.

4. Aquello no me gustó, esto me parece mejor.
5. Prefiero vivir en esta ciudad que en ésa.
6. Eso no vale nada.
7. Este árbol es más alto que ése.
8. Aquella montaña tiene más nieve que ésta.
9. Este guante es mío ; el de Juan es aquél
10. Dime lo que has hecho esta tarde con ese tío.

42-45 Traduction de « c'est »

A. Compléter les phrases suivantes :

1. ... Sebastián El Cano ... dio la vuelta al mundo por primera vez.
2. En Tordesillas ... ... se firmó el famoso tratado.
3. En diciembre ... ... hay los días más cortos.
4. Zambulléndose en el agua, así ... ... se pescan las ostras.
5. ... a orillas del río Tormes ... nació Lazarillo.
6. Tendido en la playa, allí ... ... lo encontrarás.
7. ... anteayer ... la encontré.
8. ... con mucho placer ... nos acogieron.
9. ... los que prometen mucho ... no cumplen con su palabra.
10. ... por los años cincuenta ... recibí su última carta.

B. Traduire les phrases suivantes :

1. C'est lui le dernier, c'est moi le premier.
2. C'est nous qui nous levons le plus tôt en vacances.
3. N'est-ce pas toi qui as gagné la partie de tennis ?
4. Ce sont les Portugais qui se sont installés au Brésil.
5. Ce n'est pas à vous, Madame, que je mentirais.
6. Est-ce vous, les enfants, qui avez cassé la vitre du salon ?

C. Répondre aux interrogations selon le modèle :

¿ Quién llamó a la puerta ? - La portera
→ Fue la portera la que (quien) llamó a la puerta.

1. ¿ Dónde están mis pañuelos ? - En el cajón del armario.
2. ¿ Quién te ayudó para empapelar el salón ? - Un vecino.
3. ¿ De quién estábais hablando ? - De ti.
4. ¿ Cuándo terminas la carrera ? - En junio.
5. ¿ A quiénes escribiste anoche ? - A mis abuelos.
6. ¿ Cómo te acogió el nuevo director ? - Con mucha amabilidad.
7. ¿ Quién le acompaña hasta su despacho ? - Yo.
8. ¿ A dónde se dirigieron los motoristas ? - Hacia el cementerio.
9. ¿ Por qué le contestaste tan duramente ? - Porque me sentía nervioso.

10. ¿ A quién te diriges para tener la información ? - Al guardia.
11. ¿ Cuál es el pájaro que anuncia la primavera ? - La golondrina.
12. ¿ Quién cena con nosotros esta noche ? - Nuestro tío Juan.

46 Traduction de « voici », « voilà »

Traduire :

1. Voilà le printemps !
2. Voici ce que je te dois.
3. Regarde, voilà mon frère !
4. Voilà qui est du bon travail !

5. Me voici !
6. Voilà ta veste, voici la mienne.
7. Voici mes raisons...
8. Voilà le facteur !

47-50 Les relatifs

Utiliser convenablement les relatifs *que, quien, el cual, lo que, el que, cuanto* **avec les prépositions nécessaires dans les phrases :**

1. Adolfo tiene un gato ... no maúlla nunca.
2. No creo nada de ... me has dicho.
3. Te voy a enseñar el libro ... acabo de leer.
4. Reúne a ... personas encuentres en el despacho.
5. La secretaria ... ... me dirigí no supo contestarme.
6. La catedral, en ... había una cripta visigótica, estaba llena de turistas.
7. No sé ... ir de vacaciones este verano.
8. Aquel colega ... ... te hablé me invita esta noche.
9. Pedro fue ... preguntó por ti.
10. La calle hacia ... te diriges está totalmente atascada.
11. Sabré convencer a ... me escuchen.
12. Tenía muchos amigos ... ... yo conocía también.
13. La madre llamó tres veces al niños, ... no quiso obedecer.
14. Me gusta este plato de porcelana ... ... estás comiendo.
15. ... no ha visto a Granada no ha visto nada.
16. ... me decía él me parecía de perlas.
17. Corrió la cortina detrás de ... se disimulaba la rata.
18. Los miré sin pestañear, despés de ... me fui.
19. ... tuviera veinte años !
20. Es mullido este sofá ... ... estoy sentado.
21. La chica con ... saliste es muy guapa.
22. Son personas por ... siento mucha simpatía.

51 Traduction de « dont » : *cuyo...*

D'après ce modèle, relier les deux parties de la phrase par le relatif qui convient :

El curare es una planta ; sus raíces son venenosas.
→ *El curare es una planta cuyas raíces son venenosas.*

1. Es un autor poco conocido ; sus obras no han sido nunca editadas.
2. Toma este medicamente ; sus efectos son sorprendentes.
3. Es un nuevo colega ; no sé su nombre todavía.
4. Mira esta casa ; sus ventanas están adornadas de flores.
5. Tiene un coche nuevo ; su motor es de quince caballos.
6. Era una iglesia del siglo XV ; sus campanas habían desaparecido durante la guerra.
7. El Canadá es un gran país ; sus habitantes son muy acogedores.
8. Pronunció unas palabras ; su sentido me pareció oscuro.
9. Era un extranjero ; eran curiosos sus modales.
10. Quería escribir a su primo ; no recordaba su dirección.
11. Fuimos recibidos por el alcalde ; nos encantó su amabilidad.
12. Cruzó una calle ; su anchura le asombró.
13. Pasaron a nado el río ; no conocían su profundidad.
14. Era un cielo de noviembre ; sus nubes no dejaban pasar el sol.
15. La isla era un paraíso ; sus perfumes nos embriagaban.

52 Préposition + *cuyo...*

Même exercice que précédemment. Attention à l'emploi de la préposition !

1. Es un árbol poco frondoso ; entre sus ramas se ve el pueblo.
2. Sigue hasta la iglesia ; a su izquierda verás una tienda de ultramarinos.
3. Visitamos una casa andaluza ; en su zaguán vimos magnificos azulejos.
4. Zamora es una ciudad histórica ; bajo sus murallas combatió el Cid.
5. Es un sinvergüenza ; no me fío de sus palabras.
6. Granada es una perla ; en sus jardines se respira el perfume del azahar.
7. San Gregorio de Valladolid es también un museo ; dentro de sus muros están magnificas obras policromadas.
8. Es difícil la lengua vasca ; de sus orígenes sabemos poco.
9. Es un viejo caserón ; sobre sus paredes han fijado carteles.
10. Es un coto de caza ; fuera de sus límites se ven toros de lidia.
11. Se acercó a la ventana ; se distinguía el jardín detrás de sus cristales.
12. En la niebla apareció la mole de la montaña ; a su pie se vislumbraba el pueblecito.
13. Era une fábrica de cerámica ; la chimenea husmeaba por encima de sus tejados.
14. Aquí está el garaje ; por su ventana es escapó el ladrón.
15. Desfiló todo el regimiento ; a su cabeza iba un coronel.

53 Traduction du relatif « où »

Traduire les phrases :
1. Voici le village où j'ai passé mes vacances.
2. C'est l'heure où passe le train.
3. C'est l'heure où les troupeaux rentrent.
4. Il avança vers où il avait entendu du bruit.
5. Pourrai-je sortir de la situation où je suis ?
6. Le cinéma où l'on projette des westerns.
7. Dis-moi par où tu es passé.
8. C'est le lit où il est mort.

54-56 Les pronoms personnels

A. Dans les phrases qui suivent, ne traduire que les pronoms soulignés, en respectant leur fonction (sujets, compléments directs ou indirects) :

1. Je te répète que j'espère te voir la semaine prochaine.
2. Madame, vous ai-je dit que j'aimerais vous revoir ?
3. Il faut que vous obéissiez, les enfants ; sinon vous irez vous coucher sans dessert.
4. Quand vous vous serez assis, Mesdames et Messieurs, nous pourrons vous dire combien il nous plaît de vous accueillir ici.
5. Il me regarda et se mit à me parler ; je ne sus que lui répondre.
6. Viens avec moi ; je t'expliquerai comment il faudra leur répondre.
7. Jeanne est amoureuse de Paul et ne parle que de lui. Mais lui, l'égoïste, ne pense qu'à lui-même.
8. Si vous vous pressez, les enfants, vous verrez votre grand-père ; dites-lui que je voudrais lui parler et le remercier.
9. Vous vous moquez de nous, Monsieur ; nous vous avons déjà dit que nous ne voulions plus vous rencontrer ici.
10. Après vous, Madame. Je vous prie de vous servir, vous me ferez plaisir.
11. Avec toi ou sans toi, tu le sais, il fera ce qu'il a décidé.
12. Nous vous connaissons, vous, Monsieur. N'êtes-vous pas notre nouveau voisin ?

B. Employer *ustedes* à la place de *vosotros* dans le texte suivant :

– ¡ Deteneos ...! gritó García de Paredes. No tenéis que blandir los puñales ... He hecho más que todos vosotros por la independencia de la Patria... me he fingido afrancesado ... y ya veis ... los veinte jefes y oficiales invasores ... los veinte, ... no los toquéis, ... ! ¡ están envenenados !

P. de Alarcón, Historietas nacionales

C. **Employer *vosotros* au lieu de *ustedes* dans les phrases suivantes :**

1. ¡ Por favor, cierren Vds la puerta y siéntense !
2. Díganme por qué calle han pasado Vds.
3. ¡ Se lo ruego, señores, pónganse a sus anchas y diviértanse !
4. ¿ Pueden ustedes indicarme dónde está el edificio de Correos ?
5. Pasen ustedes un buen fin de semana y no piensen más en sus preocupaciones.
6. ¡ No tengan miedo, acérquense !
7. Hagan un buen viaje y no olviden la familia.
8. ¿ Por qué se preocupan tanto Vds por estas tonterías ? ¡ Déjenlas !
9. Escríbanle para decirle cuándo vendrán ustedes.
10. Repítanme lo que me dijeron ayer.

57 Pronoms enclitiques

Mettre le verbe donné entre parenthèses à l'impératif, au gérondif ou à l'infinitif selon les cas et en utilisant un pronom :

El dinero que me debes (devolver)
→ *devuélvemelo.*

1. Le gustaba su coche, pero acabó por (vender).
2. Iba al otro lado de los setos (saltar).
3. Toma tu libro y (enseñar).
4. Apartaba las piedras (empujar) con el pie.
5. La verdad, te lo rogamos (decir).
6. ¿ Ves estos cochecitos, mamá ? Por favor, (comprar).
7. Afirma que puede saber su lección sólo con (leer) una vez.
8. Lo que nos dijisteis ayer (repetir).
9. Nos miró (afirmar) que era la verdad.
10. A sus amigos, señor, (decir) que pasen.
11. Nos gustaría estar a vuestro lado ; este sitio, (reservar).
12. Pedro me ha prometido venir en bicicleta y (prestar).

58 Ordre des pronoms

A. **En réutilisant le même verbe et le pronom correspondant, répondre aux questions suivantes (attention, les formes verbales vous aideront à retrouver les personnes) :**

1. ¿ Quieres que (yo) te repita sus palabras ? – Sí, ...
2. ¿ Os devuelvo vuestra novela ? – Sí, ...
3. ¿ Diremos todo eso a vuestro profesor ? – No, ...
4. Pedid a vuestro hermano que os abra la puerta. – El ya está ..., papá.

5. ¿ Te podemos ayudar ? – Sí, ...

6. ¿ Os tengo que devolver vuestros discos ? – No, ...

7. ¿ Usted quiere que le destape la botella, señor ? – Sí, ...

8. ¿ Queréis que os prestemos nuestra grabadora ? – Sí, ...

9. ¿ Te damos las llaves del piso ? – No, ...

10. ¿ Mamá te lee la carta de la abuela ? – Sí, está ...

11. ¿ Juan os ha enseñado las fotos de las vacaciones ? – No, no quiere ...

12. ¿ Envolvemos el paquete para la tía, papá ? – Sí, ...

13. ¿ Sigo limpiando tu bicicleta, Emilio ? – Sí, sigue ...

14. Dile al jardinero que venga. – Sí, ...

15. ¿ Le preparo el desayuno, señora ? – Sí, usted va a ...

16. ¿ Te traemos el diario de hoy ? – No, ...

17. Cuando la sepamos ¿ te telefoneamos la noticia ? – Sí, ...

18. ¿ Te preparamos uᵘ bocadillo para mañana ? – No, ...

19. ¿ Usted me presta bolígrafo ? – Sí, ...

20. ¿ Usted me dice dónde estará esta noche ? – No, no quiero...

B. Compléter les phrases suivantes en prenant garde à la place des pronoms :

> *No conozco la ciudad pero el guía me la va a enseñar*
> → *No conozco la ciudad pero el guía va a **enseñármela**.*

1. No comprendemos tus explicaciones : vas a **(repetir)**.

2. ¿ No conocéis el camino ? Pues el chófer puede **(indicar)**.

3. ¿ No conoce usted el camino ? Pues el chófer puede **(indicar)**.

4. Ya ves, los turistas se aburren ; no se atreven a **(decir)**.

5. Usted, Señor, ¿ no comprende este texto en inglés ? Voy a **(traducir)**.

6. Si necesitan cualquier cosa, yo les aseguro que basta con **(pedir)**.

7. ¿ Necesitas una guía ? Pues **(comprar)**.

59 Préposition + pronoms personnels

Traduire les phrases :

1. Il est sorti avec moi. - **2.** Il faut avoir ses papiers d'identité sur soi. - **3.** Selon moi, il va pleuvoir. - **4.** Répète après moi. - **5.** Je suis bien près de vous, Madame. - **6.** Asseyez-vous (vosotros). - **7.** Mets cette chaise entre toi et moi. - **8.** Ils ont parlé de toi et de moi. - **9.** Ne me parle plus d'eux. - **10.** Levez-vous, c'est à vous que je parle (vosotros). - **11.** Tout le monde le sait sauf moi. - **12.** Il nous dit qu'il y a un mur derrière nous. - **13.** Chaque problème porte en soi sa solution. - **14.** Viens près de moi, fais comme moi. - **15.** Chaque vérité est bonne en soi. - **16.** J'irai avec vous, les amis. - **17.** J'irai avec vous, Monsieur. - **18.** C'est un beau jour pour vous, Madame. - **19.** Pour nous la fortune. - **20.** Il s'adressa à elle, puis à toi.

62 Pronoms personnels compléments (3ᵉ personne)

Mettre l'infinitif proposé à la forme verbale qui convient accompagnée des pronoms correspondants (attention, ne pas oublier les accents quand il y a lieu) :

¿ Sabes si nos acompañará Tomás ? – No, (preguntar) tú ahora mismo.
→ *Pregúntaselo tú ahora mismo.*

1. Vuestros amigos, niños, esperan una respuesta, (dar) en seguida.
2. Le pido a usted que no fume y seguiré (pedir) hasta que cese.
3. Si los niños dejan sus bicicletas fuera, alguien acabará por (robar).
4. Diles que has comprado ostras para ellos y que vas a (abrir).
5. ¿ No sabe tu madre cómo funciona la batidora ? Voy a (explicar).
6. Aquí están las gafas del doctor ; ¿ quieres ir a (dar) ?
7. Si ustedes necesitan mis tijeras, (dejar) en la mesita del salón esta tarde.
8. Pronto, escribe una carta a tu abuelo y (mandar).
9. ¿ Puedo tomar su periódico, señor ? Lo leo y (traer) en seguida.
10. Al pobre taxista se le han pinchado dos neumáticos ; el mecánico está (arreglar) actualmente, pero sólo (devolver) mañana.
11. Si estas flores son para su mujer, señor, ¿ por qué no (ofrecer) ahora ?
12. El golfo agarró el bolso de la pobre señora y, después de (arrancar), echó a correr.
13. Estas llaves las olvidó Ramón ; ¿ quieres (poner) en un estuche y yo, mañana, (llevar) a su casa.
14. Si tus amigos no conocen la dirección del hotel, vamos a (comunicar).
15. Comprad naranjas para el enfermo y (llevar) al hospital.

63 Pronoms explétifs *(cf. G.38)*

A. **Transformer les phrases suivantes selon le modèle :**

Sus cabellos cayeron
→ *Se le cayeron los cabellos.*

1. Al muchacho (llenarse) los ojos de lágrimas porque (romperse) la espada.
2. Con el frío que hizo, al vagabundo (enrojecerse) la nariz y (helarse) las orejas.
3. Mi hermano tuvo tanto miedo que (erizarse) los cabellos.
4. Hemos bebido tanto que (subirse) el alcohol a la cabeza.
5. A Don Quijote (secarse) el cerebro.

Traduire :

1. La valise, je l'ai portée à la consigne.
2. J'ai mangé la moitié d'une orange.
3. Il mit un œuf entier dans sa bouche.
4. Il avala presque un demi-kilo de viande.
5. Ils mirent leur chemise.
6. J'ai bu plus d'un litre de bière.
7. Le paquet était lourd, je l'ai porté sur le dos.
8. Demain j'apporterai un casse-croûte.

64 Modifications orthographiques *(cf.* G 115)

A. Mettre à la personne du pluriel correspondante les impératifs suivants et faire éventuellement les modifications orthographiques (attention aux verbes irréguliers) :

1. ¡ Siéntate !	7. ¡ Date prisa !	13. ¡ Disimúlese Vd !
2. ¡ Ponte allí !	8. ¡ Acuéstate !	14. ¡ Cállate !
3. ¡ Acércate a la pared !	9. ¡ Caliéntese usted !	15. ¡ Únete !
4. ¡ Levántese usted !	10. ¡ Defiéndete !	16. ¡ Sírvete !
5. ¡ Vete !	11. ¡ Suénate !	17. ¡ Quéjese Vd !
6. ¡ Vístete !	12. ¡ Enriquécete !	18. ¡ Diviértete !

B. Mettre à la première personne du pluriel de l'impératif :

1. peinarse. - 2. esconderse. - 3. tenderse. - 4. lavarse. - 5. reunirse. - 6. darse prisa. - 7. esforzarse. - 8. perderse.

C. De la même manière, mettre les affirmations suivantes à la deuxième personne du pluriel de l'impératif :

1. Antes de empezar, nos ponemos de acuerdo.
2. Se van en seguida.
3. Quiero que me lo confieses.
4. Ustedes se acercan y se quitan el sombrero.
5. Nos damos prisa y nos dirigimos hacia la playa.
6. Defendámonos y resistámosles.
7. Te pones de rodillas y te concentras.
8. Usted se pone los zapatos y se viste.
9. Me gustaría que os acercaseis y que os volveseis hacia la pared.
10. Te callas y te sumes en tus pensamientos.

66-69 Les interrogatifs

Placer les interrogatifs corrects dans les phrases suivantes :

1. ¿ ... es el nombre de tu hermano ?
2. ¿ ... tal tu marido ?
3. ¿ ... vas ?
4. ¿ ... están mis gemelos ?
5. ¿ ... te debo ?
6. ¿ ... día es hoy ?
7. Dime ... están las llaves del coche.
8. No sé ... ha llamado a la puerta.
9. ¿ De ... es esta cartera ?
10. Me pregunto por ... razón han actuado así.
11. ¿ ... son esos señores ?
12. Pregúntale ... es su dirección.
13. ¿ Sabes a ... hora llegarán ?
14. ¿ Seremos numerosos mañana ? ¿ ... seremos ?
15. Es imposible saber ... años tiene.
16. ¿ ... tiempo hace que me esperas ?
17. De los dos hermanos ¿ ... es el mayor ?
18. Este libro me lo prestó alguien, pero no sé ...
19. ¿ ... de esto discos prefieres ?
20. Dime en ... estás pensando.

70 La phrase exclamative

Transformer les affirmations suivantes en phrases exclamatives selon le modèle :

Este espectáculo es maravilloso
→ *¡ Qué espectáculo más/tan maravilloso !*

1. Hace un tiempo muy malo.
2. Lo divertida que fue esa gente.
3. Lo amable que es esta señora.
4. Hacía una temperatura primaveral.
5. Era un actor muy sutil.
6. La luna era muy redonda.
7. Esta sopa está sabrosa.
8. Es una obra maravillosa.

Relatifs, interrogatifs, exclamatifs (révision)

Compléter les phrases suivantes par un relatif, un exclamatif ou un interrogatif :

1. No sé hasta ... te podré esperar.
2. ¿ ... le debo a usted ? ¿ ... tiempo me deja para pagarle ?

3. ¿ ... son estos señores ... están fumando en la sala del fondo ?

4. Nos gusta siempre saber el ... de las cosas.

5. Hay ... saber de ... se trata.

6. ¡ Tantos esfuerzos ! Y todo eso, ¿ para ... ?

7. Le pagaron el viaje, con ... pareció encantado.

8. ¡ Imagina un poco ... satisfecho estaba el padre !

9. ¿ En ... de estas calles vive el alcalde ? ¿ ... es su casa ? ¿ ... pisos tiene ?

10. No sabemos ... tiempo tardará, ... volverá ni ... se hospedará.

11. ... me dices me parece extraño. ¡ ... noticia más curiosa !

12. ¿ ... no nos acompañas ? - ... estoy cansado.

13. ¡ ... tuviera veinte años ! ¡ ... proyectos posibles ! ¡ ... esperanzas !

14. ¿ De ... vienes ? ¿ ... es tu nombre ? Dime de ... vives.

15. ¿ ... hay de nuevo ? ¿ ... tal la familia ?

16. ¿ ... no admirar tal panorama ? Es un lugar ... me gustaría terminar mi vida.

17. No puedes saber ... me alegro de ... ... me dices.

18. Hay ... dice ... vamos a tener un invierno muy frío.

19. ¿ ... se llama el restaurante ... está en la esquina de la calle ?

20. Pregúntale ... de sus alumnos son los mejores y ... es el primero.

21. ¿ ... ... está hablando Carmen ?

22. El pueblo hacia ... vamos tiene una iglesia maravillosa.

23. ¡ ... sorpresa ! ¡ Tú aquí ! Hace muchos meses ... no te había visto.

24. ¿ ... vas a estas horas ? Dime ... ... sales tan frecuentemente.

25. Es un millonario ... ... hija se casó el hijo de un ministro.

26. Ojalá supieras decirme ... tiempo hará mañana y ... haremos.

27. Sé ... Pablo está con unos amigos, pero ignoro ... son y ... ... razones han venido.

28. Dime con ... andas y te diré ... eres.

29. Queríamos saber por ... pasar y preguntamos el camino a un campesino, ... era totalmente sordo.

30. ¡ ... lejos está el castillo ! ¿ ... kilómetros hemos recorrido ?

72-78 Prépositions

A. Mettre les prépositions qui conviennent à la place des points de suspension :

1. El tren sale ... las dos.

2. Nos paseamos ... las calles.

3. Me dejaron este lienzo ... cien mil pesetas.

4. Estas frutas no son buenas ... comer.

5. Este enigma es muy fácil ... comprender.

6. Todos iban vestidos ... luto pero ... mucho cuidado.

7. ... la mañana me gusta tomar café ... leche.

8. Le condenaron ... ladrón.

9. Iba paseando ... las manos ... los bolsillos.

10. El cuarto ... dormir y la sala ... estar dan ... patio.

11. El maestro hablaba ... voz ronca y ... fuerte acento andaluz.

12. ¿ Es ... ti este reloj ... pulsera ?

13. Iremos ... vacaciones ... campo ... nuestros amigos.

14. ... ir ... la plaza ... Cibeles has ... pasar ... la calle ... Alcalá.

15. Un señor joven preguntó ... ti ... eso ... las tres.

16. No cabe ... sí de alegría, no piensa más que ... eso.

17. Se sentaron ... la mesa ... comer.

18. Se dirigieron ... el río ... decir una palabra.

19. No ha utilizado la máquina ... lavar ... hace una semana.

20. ... salir, ponte el abrigo que está ... el armario ... luna.

21. ¡ Date prisa ! No tienes que estar ... vuelta ... la una.

22. ... hacer demasiado frío hoy, me quedaré ... casa.

23. Termina tus deberes ... jugar ... el gato.

24. ¿ ... qué inquietarte tanto ? ¿ ... qué servirá ?

25. Aquel pobre señor estaba ... comer ... hacía dos días.

26. El salón está sucio ; está ... barrer y ... limpiar.

27. ... el fin del año, mi padre se irá ... Escocia ... algunos días.

28. ... la pared está la escalera ... mano. Llévala ... sótano.

29. ... un hombre ... su edad, parece joven.

30. Este señor ... pantalones verdes y chaqueta ... cuadros es ... pueblo vecino.

B. Compléter avec une des prépositions : *para, por, a, de, hasta, desde, con.*

1. Siempre anda ... los cerros de Úbeda.

2. Espero verte ... aquí algún día.

3. Nos acompañaron ... el cabo de la calle.

4. Nos estaban observando ... la terraza.

5. El tío había traído regalos ... sus sobrinos.

6. Todos vinieron ... bicicleta.

7. Me asomé al balcón ... ver si llegaban.

8. Federico ha sembrado su campo ... trigo y cebada.

9. Cerró la puerta ... llave.

10. El anciano se acercó ... nosotros cojeando.

11. Cubrieron los muros del cementerio ... carteles.

12. La fachada entera estaba cubierta ... carteles.

13. ... él, lo que importa es escuchar música anglo-sajona.

14. Te agradezco todo lo que has hecho ... mí.

15. Es una magnífica película ... acción.

16. No se veía mucho ... la niebla que había.

17. Te sirve mucho esta máquina ... calcular.

18. Entró un señor gordo ... ojos grises y feroces.

19. El chico ... los pantalones vaqueros es mi primo.

20. Ojo ... ojo, diente ... diente.

C. **Quelques particularités par rapport au français. Compléter :**

1. Me amenazó ... decirlo a mi madre. - **2.** Una cuerda cuelga ... techo. - **3.** Su mamá le cogió ... la mano. - **4.** Se presentó ... candidato. **5.** No sabe montar ... bicicleta. - **6.** Pero monta ... caballo. - **7.** No puede pasarse ... fumar. - **8.** Esta pobre gente se pasa ... poco. - **9.** Se acercaron ... nosotros. - **10.** Estamos ... vísperas de tener vacaciones. - **11.** Hay que acabar ... esta dificultad. - **12.** En fin, acabó ... decírmelo. - **13.** No me venga usted ... cuentos. - **14.** Desconfío totalmente ... él. - **15.** La noche pasada, soñé ... fantasmas. - **16.** Este jardín huele *(v. oler)* ... rosas. - **17.** Vacilaron mucho ... contestar. - **18.** Los navegantes dieron la vuelta ... mundo. - **19.** Es siempre el primero ... contestar. - **20.** Cuando niño, le gustaba subirse ... los árboles. - **21.** No puedo ... de hacerlo. - **22.** Se ocupa mucho ... su oficio. - **23.** Esta sopa sabe ... quemado. - **24.** Dieron ... palos al malhechor. - **25.** En Carnaval, los niños se disfrazaron ... piratas. - **26.** Reflexiona mucho ... su trabajo. - **27.** El Rey abdicó ... su hijo. - **28.** ¡ Quédese usted ... la vuelta, camarero ! - **29.** Me encontré ... él en la calle. - **30.** Mi tío está ... abogado en Madrid. - **31.** No gusto mucho ... bromas. - **32.** Se pusieron ... rodillas para rezar. - **33.** No entiende nada ... matemáticas. - **34.** Es muy astuto : siempre se sale ... la suya. - **35.** Los atracadores echaron ... tierra al pobre cajero. - **36.** Sembraron el terreno ... patatas. - **37.** Está loco ... su nieto. - **38.** La ventana está ... abrir desde hace mucho tiempo. - **39.** Se abalanzó ... los peligros sin pestañear. - **40.** Se deleitaron ... oír la música de Mozart.

79-81 Adjectifs et pronoms indéfinis

A. **Choisir le mot qui convient pour compléter les phrases :**

1. ¿ No tendrías ... minuto para ayudarme ?
   a) un **b)** ningún **c)** alguno **d)** ninguno

2. Por haber aserrado tanta leña, le dolían ... brazos.
   a) sendos **b)** algunos **c)** ambos **d)** unos

3. Escribió una larga carta sin ... error.
   a) algún **b)** ninguno **c)** cualquiera **d)** ningún

4. Les repitieron la pregunta, pero ... contestó.
   a) nada **b)** alguien **c)** nadie **d)** alguna

5. Me podrás llamar a ... hora que te convenga.
   a) cualquier **b)** cualquiera **c)** tal **d)** alguna

6. Para mañana no tenemos proyecto ...
   a) ningún **b)** alguno **c)** cualquier **d)** todo

7. Por la alameda iban paseando ... niños como mayores.
   a) cuantos **b)** tan **c)** tantos **d)** cuántos

8. Nunca quisieron repetirnos ... les había dicho el abuelo.
   a) cuanto **b)** todo **c)** cuánto **d)** nada

9. ¡ ... dolores, y eso para no obtener nada !
   a) cuántas **b)** tantas **c)** tan **d)** cuántos

10. A ... quiso dirigir la palabra.
   a) nada **b)** nadie **c)** poco **d)** cuantos

11. No ha llovido en ... el mes.
   a) cuanto **b)** todo **c)** ninguno **d)** tamaño

12. ... veces me has fastidiado.
   a) pocos **b)** bastante **c)** demasiadas **d)** cuantas

13. Son ... los jugadores en este equipo.
   a) bastantes **b)** poco **c)** todos **d)** nada

14. Me parece que ... llama a la puerta.
   a) algo **b)** algún **c)** cualquier **d)** alguien

15. Créeme, Pablo no es un tío ...
   a) ninguno **b)** cualquiera **c)** nada **d)** nadie

16. Te llamaré por teléfono ... que otro día.
   a) ninguno **b)** otro **c)** algún **d)** alguno

17. Estoy harto de vosostros. Ya no quiero ver a ...
   a) nada **b)** algo **c)** nadie **d)** alguien

18. ... personas estaban presentes echaron a reír.
   a) cuantas **b)** todas **c)** ambas **d)** bastantes

19. El profesor nos propone un ejercicio ... dos semanas.
   a) cada **b)** todas **c)** ambas **d)** sendas

20. ... de nosotras se siente capaz de tal esfuerzo.
   a) ninguna **b)** nadie **c)** ninguno **d)** alguna

B. **Compléter les phrases suivantes par un adjectif ou un pronom indéfini (cf. G 79 à 81) :**

   1. Vamos al cine ... los lunes.
   2. ... de los obreros que estaban allí le ayudó.
   3. ... cosa que diga será una tontería.
   4. Quiero que ... uno haga solo el ejercicio.
   5. En esta clase, dos alumnos de ... tres leen con dificultad.
   6. Me siento ... nervisio hoy.
   7. Antonio sabe jugar al tenis con ... manos.
   8. ... que sea la coyuntura, las dificultades serán grandes.
   9. Enséñame ... de tus dibujos.
   10. ¿ Hay ... nuevo en el periódico ?
   11. Nos quedan ... pesetas para terminar el mes.
   12. No me gusta el alcohol : dame ... agua y ... vino.

Traduire :

1. Nous n'avons aucun talent pour la peinture.
2. Y a-t-il quelque part une feuille de papier ?
3. Il n'y a rien de neuf, je n'ai eu aucune réponse.
4. Quelles que soient les circonstances, je suivrai mon idéal.
5. Je le vois tous les deux mois.
6. Ce garçon a un certain toupet.
7. Il boit beaucoup de bière et peu d'eau.
8. Tu as trop de patience avec lui.
9. Combien d'erreurs avant de trouver la solution !
10. Quelqu'un frappe à la porte. Est-ce quelqu'un de tes amis ?

82 Traduction de « on »

1. Au loin, on voyait les phares d'une voiture.
2. On a souvent besoin de s'amuser.
3. On me l'a dit, on me l'a répété.
4. On écrit tant de choses dans les journaux !
5. On construit chaque année davantage de voitures.
6. On ne peut pas être partout à la fois.
7. On a besoin de maçons.
8. Hier, avec des amis, on est allé au cinéma.
9. On entend des bruits dans la rue, mais on ne sait pas d'où ils viennent.
10. On entend des étudiants ; on les entend jouer de la guitare.
11. On a rencontré tes parents au marché.
12. On distingue les voitures près de la tribune et on les imagine prêtes à partir.
13. On ne peut pas tout savoir, disait ma mère.
14. On mange tard en Espagne.

83 Adverbes de lieu

Trouver un adverbe ou une locution adverbiale de lieu (attention aux accents) :

1. Esta es la calle ... nací.
2. Esta puerta se abre hacia ...
3. ¿ Sabes ... he dejado mis gafas ?
4. Se dirigieron hacia ... habían oído ruidos.
5. América está ..., más ... del mar.
6. Su novio la esperaba siempre ... su balcón.
7. Habían puesto sus maletas ... del armario.
8. ... tienes el dinero que te debía.
9. Ven ..., ... de mí.
10. El gato se refugió ... las cortinas.

84 Adverbes de temps

A. Trouver l'adverbe de temps (ou la locution adverbiale) qui convient :

1. El hijo del panadero no atiende ... a los clientes.
2. Es mejor que hagas ... lo que no podrás hacer ...
3. Los ... llegados fueron acogidos con alegría.
4. En nuestra familia, sólo vamos al teatro ...
5. No me gusta acostarme ...
6. ... he robado, ni una vez.
7. Los campesinos suelen levantarse ...
8. ... dormimos, los serenos vigilan nuestro barrio.
9. ... miré la televisión hasta las once y hoy estoy cansadísimo.
10. Hoy es martes a 21 de marzo ; pues, ... será el 23.

B. Appliquer la construction ci-dessous dans les phrases suivantes :

Carmen se ha casado recientemente
→ *Es una recién casada.*

1. Los turistas bajaban de los trenes que habían llegado recientemente.
2. No pises el suelo limpiado hace poco.
3. Todos acudían para admirar al niño que acababa de nacer.
4. Tu casa, que han pintado hace poco tiempo, es magnífica.
5. Conozco muy bien este libro que acabo de leer.
6. La nueva casa consistorial, que ha sido inaugurada recientemente, tiene dimensiones increíbles.
7. La película, que han estrenado hace unos días, es una maravilla.
8. Los ancianos, que acababan de ser condecorados, saludaron la bandera.

85 Adverbes de manière

Transformer les phrases suivantes selon le modèle :

Combatieron de un modo valeroso y cruel
→ *Combatieron valerosa y cruelmente.*

1. El poeta recitaba de un modo lento y pausado.
2. El chófer conduce de una manera rápida pero prudente.
3. Mi abuelo explicaba las cosas con tranquilidad y firmeza.
4. Este chico trabaja con inteligencia y claridad.
5. El payaso gesticulaba de un modo torpe aunque gracioso.
6. Salió de una manera majestuosa pero apresurada.
7. Sabe organizar su negocio con eficacia, con tranquilidad y hasta con amabilidad.
8. Me contestó el hombre con ironía pero humorísticamente.
9. El señor cura nos saludó con cortesía y familiaridad a la vez.
10. Hay que actuar en la vida de un modo leal y digno.

86   Adverbes de quantité et de comparaison

Traduire :

1. A peine sa maman apparaît-elle que l'enfant se met à rire.
2. Il ne faut jamais lire un livre à moitié.
3. Elle était à demi-morte de froid.
4. Une heure de plus, ce serait trop pour finir cette besogne.
5. Mais laissez-nous au moins quelques minutes pour les corrections.
6. Ce gros monsieur a au moins dix kilos de trop.
7. Ils ne purent entrer dans le théâtre tellement ils étaient nombreux.
8. Messieurs, vous êtes trop forts pour moi.
9. Les règles de ce jeu sont trop difficiles et j'ai peu de patience.
10. La fenêtre du balcon était à demi ouverte, il faisait très chaud et même trop chaud.
11. A force de répétitions, les problèmes leur parurent assez faciles.
12. Qu'il fasse très chaud ou qu'il fasse très froid, il est toujours très couvert.

87-88   Adverbes d'affirmation et de négation
Différentes traductions de la négation

A. Pour chacune de ces phrases, donner la deuxième manière de traduire la négation :

No hace nunca frío en Canarias
→ Nunca hace frío en Canarias.

1. ¿ No viajaste nunca en avión ?
2. Lo que pasó, no lo sabe nadie.
3. El sol no se ponía nunca en el imperio de Carlos Quinto.
4. El chico se escondía para que no lo viese ninguno de sus compañeros.
5. Yo no comprendo nada ; tú no comprendes tampoco.
6. En su vida ha trabajado.
7. Ni un céntimo quiso darle al mendigo.
8. A este señor, nada le interesa.
9. No aceptó tampoco que alguien le acompañase.
10. Ahora, nadie cree en la existencia de las brujas.
11. Jamás podré olvidar la alegría de aquel día de boda.
12. Ni siquiera me miró a la cara.
13. Lo que has hecho, no lo haría ninguna mujer.
14. No dirigieron la palabra a nadie ; a usted tampoco le hicieron caso.
15. No quiso hablar a ningún miembro de la familia.

B. Traduire l'opposition par l'emploi de *pero, pero sí, sino, sino que* dans ces phrases :

> *El Pireo no es un hombre ; es un puerto*
> → *El Pireo no es un hombre sino un puerto.*

1. No puedo dormir de noche ; duermo de día.
2. No me gusta el cine ; me gusta el teatro.
3. No sólo apreciamos la música clásica ; apreciamos también la zarzuela.
4. No practicamos el fútbol ; preferimos el tenis.
5. A toda la familia no le encanta la montaña ; le encanta el mar.
6. Me aburro bastante en la playa ; iré a orillas del mar con mis amigos.
7. No sólo me disgusta el mundo ; odio también el ruido y la animación.
8. No suele beber vino ; le gusta saborear una copa de aguardiente.
9. No llegaremos el lunes ; llegaremos el martes.
10. No llegaremos el lunes ; preferimos llegar el martes.
11. No hacía mucho frío ; la lluvia comenzó a caer por la tarde.
12. No lee novelas de aventuras ; lee revistas científicas.

C. Traduire :

1. Nous n'aurons que quinze jours de vacances.
2. Il a promis qu'il ne fumerait plus.
3. Nous n'avons pas même eu le temps de leur serrer la main.
4. Nous accompagneras-tu au cirque ? - Ça oui.
5. Nous n'irons plus à la piscine, l'eau est trop froide.
6. Je ne peux plus avaler, j'ai trop mangé.
7. Il vaut mieux prendre son temps que se fatiguer.
8. Nous n'irons pas au village pour la Toussaint, mais à Noël.
9. Il n'a même pas répondu à ma lettre.
10. Ne reviens jamais plus !

89 Conjonctions de coordination

Traduire :

1. Lundi et mardi. - **2.** Belle-mère et gendre. - **3.** Blancs et Indiens. - **4.** Un jour ou l'autre. - **5.** Blanc ou noir. - **6.** Veuve ou orphelin. - **7.** Pourquoi fais-tu cela ? - **8.** Parce que ça me plaît. - **9.** Demande-lui le pourquoi et le comment de son attitude. - **10.** Eh bien, au revoir, les enfants !

90 Conjonctions de subordination *(cf.* G 116 à 118)

Compléter les propositions 1 à 20 avec une des propositions A à T.

1. No se puede concebir *que* **A.** ... llegaran sus amigos.
2. Nos habían prometido *que* **B.** ... habían visto un accidente.
3. Siento mucho *que* **C.** ... su novia no le escribiese.

4. Pasaré por tu casa   *a no ser que*   **D.** ... esté puesta la mesa.

5. No te podemos dejar solo *sin que*   **E.** ... haya tanta hambre en el mundo.

6. Nos contaron   *que*   **F.** ... su padre estaba muy malo.

7. No me aburriré nunca *con tal que*   **G.** ... prefieras llamarme tú.

8. El no podía afirmar nada *sin que*   **H.** ... nadie me molestara.

9. Me fastidia mucho   *que*   **I.** ... no haya bastante nieve.

10. Quisieron terminar la   **J.** ... tus padres no hayan podido venir.
limpieza de la casa *antes de que*

11. Yo me sentiría feliz *con tal que*   **K.** ... fumes tanto.

12. Te puedo asegurar   *que*   **L.** ... coja un resfriado.

13. Nos sentaremos a comer   *como*   **M.** ... hagas alguna locura.

14. Habíamos oído decir   *que*   **N.** ... nunca más tomaré el metro por la noche.

15. No creo   *que*   **O.** ... me la ponga mañana ?

16. Pon un jersey al niño *antes de que*   **P.** ... vendrían temprano.

17. ¿ Quieres planchar   **Q.** ... estáis todos del mismo parecer.
mi camisa   *para que*

18. Veo con placer   *que*   **R.** ... su mujer dijera lo contrario.

19. El temía   *que*   **S.** ... Ud conozca a mi esposa.

20. Iremos a esquiar   **T.** ... me dejen solo en una biblioteca.
a la sierra   *a menos que*

91   Emploi particulier de « aunque »

A. Compléter les phrases suivantes en utilisant le verbe proposé entre parenthèses :

  1. *Aunque* eran muy jóvenes (tener) ...

  2. No podríamos llegar a tiempo *aunque* (levantarse) ...

  3. *Aunque* me lo pidas de rodillas, nunca (hacer) ...

  4. Hacían muy poco ruido *aunque* (ser) ...

  5. *Aunque* parece tímido, este niño (saber) ...

  6. Seguía mirando la televisión *aunque* no (gustar) ...

  7. *Aunque* insistiéramos, estamos seguros de que él (venir) ...

  8. *Aunque* llovía a cántaros, (haber) ...

  9. Sigue escribiéndoles *aunque* no (contestar) ...

10. No (ir) ... *aunque* es buen católico.

11. Nunca iré a ver esta película *aunque* (insistir) ...

12. *Aunque* había comido mucho, (querer) ...

13. No creo que haya una guerra *aunque* lo (decir) ...

14. Nunca iré a Inglaterra *aunque* me (acompañar) ...

15. *Aunque* me lo (decir) ..., yo no lo creería.

B. Traduire :

  1. Quoique ce soit une femme assez pauvre, elle vit convenablement.

  2. Je ne voudrais pas avoir son métier, même si on me payait dix fois plus.

3. Bien que ce fût interdit, les gens fumaient dans la salle de cinéma.

4. Même si tu vas à la ville en voiture, tu ne mettras pas moins d'une heure.

5. Ne te fâche pas, même s'il continue à t'énerver.

6. Bien qu'il y eût beaucoup de monde dans les rues, il y avait peu de gaieté.

7. Ne réponds pas, même si on te provoque

8. Quoiqu'on soit au début de mai, il fait encore très frais.

9. Même si nous le savions, nous ne te le dirions pas.

10. Bien qu'il se prétende intelligent, il a beaucoup de retard dans ses études.

103-104 Haber - Tener

Traduire :

1. Nous nous sommes amusés à la foire.

2. Il fallut insister pour qu'il vienne.

3. Il y aura de la neige cette nuit.

4. Tu dois partir pour le collège avant huit heures.

5. Les valises sont là, nous les avons préparées.

6. J'aime la chanson que vous avez interprétée.

7. Pour le jeu de l'« hombre », chaque joueur doit avoir neuf cartes.

8. Regarde les taches que tu as faites.

9. Nous voici ! Nous nous sommes pressés pour venir.

10. Il va y avoir beaucoup de soleil pour Pâques.

11. Il faudra conduire avec prudence.

12. Nous devrons conduire avec prudence.

13. Il s'est blessé gravement avec son couteau.

14. Ça y est ! J'ai fait mes exercices.

15. Il y aura eu beaucoup d'accidents pendant ces vacances.

105-106 Ser - Estar

Compléter par le verbe *ser* ou le verbe *estar* convenablement conjugué :

1. Julio ... el séptimo mes del año.

2. ... en octubre cuando se abre la temporada de la caza.

3. Cuando ... en invierno, iremos a esquiar a la sierra.

4. El dólar ... casi a ocho francos.

5. Esta estatua policromada ... de Berruguete.

6. No ... numerosos hoy ; pero así ... más a nuestras anchas.

7. Ya ... de noche cuando salimos del curso ayer.

8. ... aquí donde ... el sepulcro del arzobispo.

9. No ... nosotros los culpables.

10. Mi cepillo de dientes ... éste ; el tuyo ... aquél.

11. ... ahora en enero : ... el invierno.

12. Se quedó mudo de sorpresa y ... con la boca abierta algunos segundos.

13. ¿ De dónde ... vosotros ? Nosotros ... de Andalucía, ... sevillanos.

14. Fácil ... decir algunas palabras en español ; más delicado ... observar la gramática.

15. El manuscrito éste ... de la Edad Media ; ... de pergamino y ... del Capítulo de la Catedral.

16. Su tío ... maestro en el pueblo y ... de escribano cuando hay alguna sesión extraordinaria del Ayuntamiento.

17. Si no ... vosotros más que ocho no ... bastantes para constituir un equipo de fútbol.

18. Me siento triste hoy ; no ... para bromas.

19. Sus padres ... de viaje ; ... en Austria.

20. Granada ... una joya artística.

107 *Ser* ou *estar* + adjectif

Compléter les phrases par l'emploi de *ser* ou de *estar* :

1. ¡ Qué alto ... Pablo ! ... también bastante gordo.

2. ... un lugar común afirmar que el cielo ... azul y que el mar ... verde.

3. Pero hoy el cielo ... particularmente azul.

4. No ... satisfechos del resultado de las elecciones.

5. No ... más que tres para la Nochebuena ; si ... solo, ven a cenar con nosotros.

6. De ordinario la paella ... un plato maravilloso, pero la suya, señora, ... riquísima.

7. Después de recibir la noticia, uno ... ciego de furor y el otro ... loco de alegría.

8. ... un Ministro de izquierda, pero su política ... de derecha.

9. Este niño que ... a tu derecha ... muy listo ; pero ... siempre rojo de confusión cuando se le hace una pregunta.

10. Yo ... de muy mal humor. No ... del todo para reír.

11. ... infeliz porque le abandonó su novia.

12. ... de admirar este cuadro, que efectivamente ... una obra maestra.

13. ... de acuerdo contigo : ... él quien debe pagar las consumiciones.

14. No ... verdad que los exámenes ... en mayo.

15. A pesar de ... bachiller ... de acomodador en un teatro.

16. La fiesta de ayer ... muy divertida ... todos muy contentos.

17. El niño ... casi siempre enfermo cuando sus padres ... fuera de casa.

18. Antes ... comunista y ahora ... del centro.

19. Nuestros ejercicios ... por corregir y el profesor ... mirándolos.

20. Mañana ... lunes y ... a 15 de mayo.

108 *Ser* ou *estar* + participe passé

Compléter les phrases suivantes avec *ser* ou *estar* à la forme qui convient :

1. La Catedral ... construída en el Siglo XV ; ... hecha de sólidos sillares.
2. El discurso de apertura ... pronunciado por el Presidente que ... un poco emocionado ... aplaudido con entusiasmo por todos.
3. Las plantaciones del hortelano ... protegidas por un seto vivo.
4. Las cartas a los suscriptores ... firmadas por el Director y pudieron ... llevadas a Correos.
5. Cuando el foso ... cavado, el ataúd ... bajado con mil precauciones.
6. ¡ La mesa ... puesta, la sopa ... servida !
7. La ventana ... cerrada ; ... cerrada por una corriente de aire.
8. Los mejores candidatos van a ... felicitados y ... premiados por el Jurado.
9. El recién nacido ... bendecido mañana por el canónigo despúes de ... llevado a la pila bautismal.
10. Desde que ... enamorado, Alberto casi ya no come.
11. El ratero ... visto ayer por un testigo y ... detenido por la Policía.
12. El tesoro había ... acumulado por el anciano durante toda su vida ; ... disimulado bajo un montón de carbón.
13. El niño ... castigado por haber desobedecido ; ... afligido.
14. El buen estudiante ... apreciado por sus maestros.
15. ... prohibido fijar carteles.
16. La ley sobre el divorcio ... aprobada hace poco por las Cortes ; pero si ... aprobada, no conviene a todos.
17. En agosto los tomates ... vendidos a bajo precio en el mercado.
18. Las amenazas de los bandidos ... fijadas con un cuchillo en la corteza de un árbol.
19. El nombre del héroe ... repetido por mil bocas.
20. ¡ La suerte ... echada !

105-108 Emploi de *ser* et de *estar* (révision)

A. Relier chaque membre de phrase avec *ser* ou *estar* au temps qui convient :

1. La Casa de Diputación ...	**A.** siempre muy ocupado.
2. La novela ...	**B.** a la salida del pueblo.
3. Mi tía Luisa ...	**C.** escrito (a) en alemán.
4. Una cigüeña ...	**D.** anidado (a) en el campanario.
5. Carlos Primero ...	**E.** profesor (a) de inglés.
6. Esta carta ...	**F.** bombardeado (a) durante la guerra.
7. Guernica ...	**G.** cinco para cenar.
8. El doctor del pueblo ...	**H.** un monarca muy poderoso.
9. Las pistas de tenis ...	**I.** rematado (a) por un pararrayos.
10. Esta noche en casa ...	**J.** premiado (a) por la Academia.

B. Remplacer les points de suspension par *ser* ou *estar* au temps qui convient :

1. ¡ Qué guapa ... hoy, Luisita !
2. El árbitro ... ciego ; no ha visto que la pelota ... fuera de juego.
3. Es posible que este collar ... de perlas, pero lo dudo.
4. La lluvia ... torrencial ; ... hecho una sopa.
5. Estas cerezas ... verdes ; no ... maduras todavía.
6. ... encantado : la solución de mi problema ... correcta.
7. Hay que ... loco para afirmar que Tirso de Molina ... un autor divertido.
8. No puedo creer que esta chica tan rubia ... del Sur de España.
9. Anteayer, el Banco ... asaltado por tres ladrones enmascarados.
10. Este lienzo ha ... pintado por Velásquez.
11. Me escribirás cuando ... de vacaciones.
12. ¿ Crees que ... más feliz cuando tengas más dinero ?
13. Su perro ... atropellado por el autobús.
14. Su padre ... delegado de la UNESCO.
15. ¿ ... lista para salir ? ¿ ... bien cubierta ?
16. Las vacaciones ... casi terminadas ; ... de vuelta al colegio pasado mañana.
17. Pareces ... muy aburrido ; sin embargo, la fiesta ... alegre.
18. No ... partidarios del aborto y ... en contra de la nueva ley.
19. ... unos desgraciados, ... casi siempre malos.
20. La nueva Constitución ... adoptada ; ... votada anteayer.

C. Employer le verbe qui convient dans les phrases suivantes :

1. Cuando salieron del café ... ya de noche.
2. El cabaret ... en un barrio alejado del centro de la ciudad.
3. Castilla ... un poco como una droga.
4. Este ... el palacio de Inca Roca. La Plaza de Armas ... cerca.
5. Recuerdo una época en la que vivir en la ciudad de México ... considerado como un privilegio ; en México la luz eléctrica ... más brillante, las calles ... más anchas y ... mejor pavimentadas ...
6. Al cabo de dos horas de estorbar, logró que las chicas ... arregladas y la comida empaquetada.
7. – ¡ ... solos, Visitación ! – Sí, Alfredo, ¡ qué feliz ... (yo) !
8. Ahora el pueblo no ... ni sombra de lo que ...
9. El viejo ... pensativo.
10. El mar ... muy peligroso. Cuando yo ... mirando un buque bien lejos, desapareció.

D. Traduire :

1. Nous sommes amis. - 2. C'est aujourd'hui la fête de Paul. - 3. Je suis ravi de te rencontrer. - 3. Nous étions en train de dormir. - 4. Tu n'es pas de ce siècle. - 6. Ton travail est un désastre. - 7. Ce chef d'entreprise est très occupé. - 8. Nous sommes heureux, nous sommes en vacances. - 9. Tu

es content de ton sort. - **10.** Il a été appelé au téléphone. - **11.** Seras-tu chez toi demain ? - **12.** Cette musique est à la mode. - **13.** C'est un air connu. - **14.** Il est nerveux quand il est ivre. - **15.** Il est actif et nerveux. - **16.** Il était une fois une méchante sorcière. - **17.** Les facteurs sont mécontents ; ils sont en grève. - **18.** Ce n'est pas toi le plus fort. - **19.** Ça y est ! Le Président est élu. - **20.** Les impôts ne seront exigés que dans un mois. - **21.** Leningrad est l'ancien nom de Saint-Pétersbourg. - **22.** Elle a été fondée par Pierre le Grand. - **23.** L'eau est chaude, c'est pour ton thé. - **24.** Ne sois pas impatient, il n'est pas tard. - **25.** Il est honteux car il n'est pas le premier.

110 L'infinitif

Transformer les phrases ci-après en employant un infinitif et la préposition correcte :

Cuando se asomó al balcón, se dio cuento de que llovía.
→ *Al asomarse al balcón, se dio cuenta de que llovía.*

1. Porque estaba de buen humor, reía a carcajadas.
2. Practicando muchos deportes, desarrollamos nuestros músculos.
3. Si tolerásemos tal injusticia, no seríamos buenos ciudadanos.
4. Se vio un gran fulgor en el cielo cuando la bomba estalló.
5. Le han fusilado porque ha traicionado su patria.
6. Cuando hubo terminado la carrera, se dedicó al periodismo.
7. Todo el pueblo aplaudió cuando pasó el coche de los recién casados.
8. Si Vds me hubieran avisado antes, yo les habría preparado una habitación.
9. Aunque parece tan tranquilo, disimula un temperamento muy vivo.
10. Cuando hubo hablado dos horas seguidas, tenía la garganta sequísima.
11. Aunque era tan astuto, fracasó totalmente en su proyecto.
12. Si no lo haces tú, nadie lo hará.
13. Tomas solamente este jarabe y se acaba tu tos.
14. Quiso terminar la tarea porque le parecía muy fácil.
15. Niños, ¡ salgamos ! ¡ vamos de paseo !
16. Los pobres no habían comido nada desde hacía dos días.
17. No estamos aquí con el propósito de dormir.
18. Si no se lo hubieras repetido, él no habría comprendido.
19. Si no me ayudas, no te ayudaré tampoco.
20. Cuando el día se levantó, los viajeros estaban lejos ya.

111 Le participe passé

A. **Mettre au participe passé :**

1. Quien no ha (ver) a Sevilla, no ha (ver) maravilla.
2. Creían a pies juntillas las noticias que venían (imprimir) en el periódico.
3. Los ingenieros no han (resolver) todos los problemas.
4. Sólo se había (afeitar) la mejilla izquierda.
5. Tenía (afeitar) la mejilla izquierda.
6. En la catástrofe varias personas resultaron (herir).
7. Volví tristemente a casa, (perder) mis ilusiones.
8. Han (morir) cuatro Romanos y cinco Cartagineses.

B. **Transformer les phrases suivantes selon le modèle (cf. G 104)**

Los irresponsables habían engañado a sus familias
*→ Los irresponsables **tenían engañadas** a sus familias.*

1. Los chicos habían preparado sus lecciones.
2. Muchos no habían elegido sus asignaturas.
3. Mi hermano habrá terminado sus estudios dentro de dos años.
4. He apuntado las ideas principales del texto.
5. Hemos guardado unas cuantas botellas en la bodega.

C. **Avec les éléments qui suivent, construire des phrases en employant le participe passé :**

La guerra/declarar/comenzar/las primeras escaramuzas
→ Declarada la guerra, las primeras escaramuzas comenzaron.

1. venir/hacia mí/las manos/tender.
2. morir/perro/rabia/morir.
3. el escritor/llevar/escribir/gran parte de su novela.
4. la boca/abrir/mirarme/durante/algunos segundos.
5. de lo que le habían dicho/satisfacer/quedar.
6. paciencia/gritar como un loco/perder.
7. tener/carta de felicidades/escribir/para mis abuelos.
8. absorber/más de media hora/quedar.
9. las últimas líneas/los periódicos/imprimir/ser distribuídos.
10. las partes/el león/hablar así/hacer.
11. sentirse feliz/las dificultades/resolver.
12. hacia la pared/volver/la cabeza/querer/esconder sus lágrimas.
13. sentar/permanecer/una hora/sin moverse.
14. el preso/llevar/a la cárcel/las manos/atar.
15. el Director/preocupar/aquel día/andar.
16. estar/envolver/la camisa/papel con dibujos.

112 Le gérondif

A. Transformer les phrases suivantes en employant la forme progressive (verbe _ir, continuar, seguir,_ selon le cas) :

> _Los campesinos se quejaban._
> → _... **continuaban quejándose.**_

1. Las parejas bailaban aunque ya había cesado la música.
2. En muchas regiones desaparece lo típico.
3. Desde hace años el campesino labra su pequeña porción de tierra.
4. Los soldados desfilaban.
5. Siempre dices lo contrario de lo que digo.
6. El río sube con las incesantes lluvias.
7. A pesar de sus años practica muchos deportes.
8. Estos colegiales progresan.
9. A pesar de las contradicciones, el Diputado lee su discurso.
10. El tiempo cambia.

B. Compléter les phrases suivantes :

1. ... ausente el profesor, no hemos tenido clase.
2. Estuvo todo el día ... una novela policíaca.
3. Me pasé el domingo ... por el campo.
4. ... roto el vaso, lo tuve que pagar.
5. Después de mucho llorar, acabaron sus deberes ...
6. Estuvieron ... muchas horas en la feria.
7. Entraron en el cine ... ruido.
8. ... es como recobra sus fuerzas.
9. Me miró con sorpresa ... a mi pregunta.
10. ... los años, el niño se había hecho un hombre.

113 L'indicatif

A. Employer le passé simple ou le passé composé selon le cas :

1. El mes pasado (tocarme) ... la lotería.
2. La tecnología (hacer) ... progresos enormes desde el principio del siglo.
3. (Tener) ... mucha lluvia este fin de semana.
4. En 1889 (construir) ... la torre Eiffel.
5. Desde mi infancia (ir) ... todos los años al mar.
6. Ayer mi hermano menor (caer) ... y (hacerse) ... daño.
7. Hoy (haber) ... alzas importantes en la Bolsa.
8. En mi vida (trabajar) ... tanto.
9. Hasta ahora no (recibir) ... ninguna carta de ellos.
10. Recuerdo que aquel día (salir) ... temprano para las vendimias.

B. Traduire :

1. Un peu plus et il tombait dans la rivière.
2. Ce monsieur doit avoir plus de cinquante ans.
3. Je me demande comment il fera pour arriver jusqu'ici.
4. Sais-tu combien nous serons à cette réunion ?
5. Il est huit heures ; le train doit être arrivé.
6. Je peux t'assurer qu'il fera beau temps demain.
7. J'ai failli me couper avec ce couteau.
8. Nous ignorons dans combien de temps il faudra être prêts.
9. Dis-moi quand tu reviendras.
10. Je me demande s'il m'accompagnera.

C. Transcrire au présent de l'indicatif :

1. Joaquín miró para las calles del pueblo, estrechas e intrincadas. Para las viejas casas encaladas donde había macetas de flores escarlatas. Para el rumor de las calles donde los niños alborotaban. A las mujeres que, sentadas en la alberca, se saludaban y reían mientras esperaban a llenar sus cántaras. Tenían cabellos oscuros, ojos hundidos en sus caras tristes que se adentraban en el alma. (Armando LOPEZ SALINAS)

2. « Pimentó soltó su acusación. Aquel hombre que estaba junto a él, tal vez por ser nuevo en la huerta, creía que el reparto del agua era cosa de broma y que podía hacer su santísima voluntad. » (Vicente BLASCO IBAÑEZ)

3. « Con estas instrucciones teóricas y prácticas, me creí ya capacitado para lanzarme por las calles y carreteras del ancho mundo y comparecí el día que me fijaron ante el experto oficial que había de negarme o concederme el carnet de conducir.
Contesté algunas preguntas, hice ciertas evoluciones. » (W. FERNANDEZ FLÓREZ)

4. « Mosén Millán pidió al monaguillo que le acompañara a llevar la extremaunción a un enfermo grave.
... El cura no quiso responder. Y seguían andando. Paco se sentía feliz yendo con el cura. » (Ramón SENDER)

D. Transcrire au présent de l'indicatif, puis au futur de l'indicatif :

« Tú, has almorzado unas ostras... Después encendiste un cigarrillo y te deleitaste pensando en la felicidad que te procura tu vivir honrado y bondadoso...
... Esa ostra se encontraba satisfecha en el fondo del mar. La primera contrariedad de su vida la experimentó cuando la extrajeron para ti de su natural elemento. » (W. FERNANDEZ FLÓREZ)

154

E. Transcrire au passé simple :

« ... Le examinan de arriba abajo, le sacan radiografías, le piden cientos de análisis de sangre... Le pesan, le miden, le auscultan, le tumban, le levantan, se pone de un lado, de otro, de frente, de espaldas, dice treinta y tres, respira hondo, abre la boca, saca la lengua, entorna los ojos, gira la cintura, mide sus calorías, observa su metabolismo, se toma el pulso, escucha sus válvulas, siente su circulación, no come, no bebe, no fuma... »
(Adolfo MARSILLACH)

F. Transcrire à l'imparfait de l'indicatif :

« ... Las aguas envasadas están a veces plagadas de alegres colonias de microbios, y la del grifo no suele ser mucho más recomendable...
... Los aditivos contenidos en los panes permiten apenas conservar un vago recuerdo de uno de los alimentos básicos, la blancura de la carne se consigue con hormonas... » (« CAMBIO 16 »)

G. Transcrire au passé simple :

1. « Don Abundio comienza la mañana metiendo prisa a su mujer y a sus tres hijas... Al cabo de dos horas de estorbar, logra que las chicas estén arregladas y la comida empaquetada...
Don Abundio agarra el primer atasco a la salida de la ciudad. Cinco kilómetros le cuesta al coche hora y media. El coche se recalienta y don Abundio tiene que sacarle a un andén para que se enfríe. »
(D'après T. SALVADOR)

2. « La ambulancia policial llega a los cinco minutos y lo suben a una camilla blanda donde puede tenderse a gusto... Le llevan a la sala de radio... Alguien de blanco, alto y delgado se le acerca y se pone a mirar la radiografía... Siente que lo pasan de una camilla a otra. El hombre de blanco se le acerca otra vez, sonriendo, con algo que brilla en la mano derecha. Le palmea la mejilla y hace una seña a alguien parado atrás. »
(D'après Julio CORTAZAR)

H. Transcrire le texte suivant au futur de l'indicatif et à la 1re personne du pluriel :

La sangre se me agolpó a los oídos. Salí de la estación con el fardo del equipaje al hombro, torcí por una senda sin necesidad de pasar por el pueblo, y empecé a caminar. Iba triste, muy triste. Pasando cerca del cementerio, cogí miedo, un miedo inexplicable ; me imaginé a los muertos saliendo en esqueleto a mirarme pasar. No me atreví a levantar la cabeza ; apreté el paso. Cuando llegué a mi casa estaba rendido.
(D'après C.J. CELA)

I. Transcrire au futur de l'indicatif :

Cuando el baile llegaba a su apogeo, que era de nueve a nueve y media de la noche, el ruido de los pies y de las conversaciones era ensordecedor, y los magos del ritmo moderno, por más que se esforzaban, no se les oía que desde muy cerca. El calor era sofocante, la gente sudaba a chorros y no se podía dar ni un paso. (C.J. CELA)

114 Le conditionnel (cf. G 121, G 123)

A. Mettre au passé les phrases suivantes :

1. Afirman los periódicos que el eclipse se producirá el 26 de este mes.
2. ¿ Sabes cuándo nos darán una respuesta ?
3. Es evidente que Juan vendrá acompañado de su mujer.
4. Te prometemos que nunca más lo volveremos a hacer.
5. No sé todavía a qué hora llegarán.
6. Supongo que se habrá metido en un atasco a la salida de la ciudad.
7. El doctor dice que el enfermo estará mejor muy pronto.
8. Creo que habrá que esperar con mucha paciencia.
9. Os repito que tendréis que estar aquí a las siete.
10. Ignoro quién pronunciará el discurso.
11. Estoy seguro de que se pondrá pantalones vaqueros para la excursión.
12. El Rey declara que abdicará en su hijo.
13. Son las ocho : mis padres estarán en casa.
14. El jefe de estación anuncia que el tren tendrá media hora de retraso.
15. Me pregunto si querrá contestar a mi invitación.

B. Compléter les phrases suivantes selon le modèle :

Me gustaría practicar el esquí si fuera más joven.

1. ... (jugar) al baloncesto si ... (ser) más alto.
2. Si ... (tocarme) el gordo, ... (comprarse) una moto.
3. Por más que ... (suplicarle), estoy seguro de que él no ... (ceder).
4. ... (dolerme) los pies si ... (andar) demasiado.
5. Si ... (presentarse) al examen, ... (suspender).
6. Por muy difíciles que ... (ser) las pruebas, Antonio ... (saber) vencerlas.
7. Este borracho ... (seguir) bebiendo por más que le ... (doler) la cabeza.
8. Si ... (tener) voluntad, yo ... (dejar) de fumar.
9. No ... (disgustarme) alojarme en un hotel de cuatro estrellas si ... (ir) de viaje.
10. De todas formas, aunque ... (haberse puesto) un impermeable, ... (estar hecho) una sopa.

A. Mettre à l'impératif. L'apostrophe *señores, viajeros, niño,* **etc. permet de retrouver la personne qu'il convient d'employer :**

1. Todos a un tiempo, señores : ¡ ... (circular) por la derecha ! ¡ No ... (detenerse) !

2. Viajeros, ¡ no ... (entrar) ni ... (salir) en marcha ! Antes de entrar, ¡ ... (dejar) salir !

3. Niño, ¡ no ... (meter) la mano en el plato ! No ... (moverse) tanto !

4. Hijo mío, ¡ ... (venir) aquí no ... (llorar) más !

5. Me pareces cansado. ¡ ... (hacer) deporte, no ... (trasnochar) y ... (ponerse) de vacaciones !

6. Buenos días, señora, ¡ ... (sentarse), por favor ! ¡ No ... (molestarse) !

7. Muchachos, ¡ no ... (ensuciar) el suelo ! ¡ No ... (jugar) a la pelota en la cocina ! ¡ ... (salir) !

8. ¡ ... (Ser) el bienvenido, señor Director ! ¡ ... (pasar) y ... (servirse) tomar una copita con nosotros !

B. Mettre à la forme négative :

1. ¡ Vestíos y salid !

2. ¡ Ven acá y escúchame !

3. ¡ Mírame y respóndeme !

4. ¡ Grita y quéjate !

5. ¡ Pierde tu tiempo !

6. ¡ Diles que vengan !

7. ¡ Póngase usted a mi lado !

8. La respuesta, ¡ dámela !

9. ¡ Esforzaos por estar atentos !

10. ¡ Ve esta película !

C. Mettre à la forme négative :

1. ¡ Escuchad lo que os dicen !

2. ¡ Dime lo que pasó !

3. ¡ Espérame !

4. ¡ Sé bueno con él !

5. ¡ Salgamos juntos !

6. ¡ Hable Vd más fuerte !

7. ¡ Acercaos a la mesa !

8. ¡ Ponte derecho !

9. ¡ Haz lo que te ordenan !

10. ¡ Jugad al fútbol en el patio !

D. Mettre à la forme affirmative :

1. ¡ No os dejéis engañar !
   ¡ No abandonéis !

2. Este coche, ¡ no lo conduzcas !

3. ¡ No te diviertas !
   ¡ No te entretengas !

4. Esta versión,
   ¡ no la traduzcan ustedes !

5. ¡ No os dirijáis hacia la puerta !

6. ¡ No se lo repitáis !

7. ¡ No os durmamos !

8. ¡ No os desunáis !

9. ¡ No se las traigáis !

10. ¡ Ne se lo diga usted !

116 Le subjonctif *(cf.* G 117 à 122)

A. Former une phrase complète en reliant les deux éléments qui la composent :

1. Te pido consejo	**A.** si te portas bien.
2. Me siento muy a gusto aquí	**B.** para que todos me comprendieran bien.
3. No saldrás conmigo	**C.** como si estuviera en mi propia casa.
4. Los Reyes te traerán regalos	**D.** por muy maduras que estén.
5. Me fastidia mucho	**E.** aunque quedara gasolina en él.
6. Voy a tomar un bocadillo	**F.** para que me ayudes.
7 Nos saludarán con cariño	**G.** como me vuelvas a molestar.
8. Lo repetí muchas veces	**H.** en cuanto nos reconozcan.
9. Llenaríamos el depósito del coche	**I.** por si acaso no me invitaran a comer.
10. No comeremos estas frutas	**J.** que pongan esos programas en la televisión.

B. Parmi les quatre possibilités offertes entre parenthèses, choisir la seule qui convienne pour donner un sens à la phrase :

1. (¡ Ojalá) (¡ Qué) (¡ Sin duda), (¡ Claro que) me admitan en la clase superior !

2. (Nos pide) (Quiere) (Nos pidió) (Prometió) que le contestáramos cuanto antes.

3. (¡ Qué) (¡ Para que) (¡ Que) (¡ Sí) tengáis un buen viaje !

4. (Le prometo) (Le rogué) (Le aseguro) (Le suplico) que usted me eche una mano para reperar este motor.

5. (Probable) (Quizás) (Puede ser) (Es evidente) les haya pasado algo grave.

6. (No quisieron) (Estaban seguros de que) (Afirmábamos) (Dicen) que les acompañáramos a la estación.

7. (Era frecuente) (No convendría) (Me extraña) (Repito) que pueda afirmar tales barbaridades.

8. El cabo (propone) (ordenó) (aseguró) (sugiere) al soldado que barriese el patio del cuartel.

9. (No estaría bien) (Veo con sorpresa) (Imagino) (No está bien) que salgas con este traje tan sucio.

10. (¡ Es lamentable) (¡ Yo no comprendía) (¡ Ojalá) (¡ Sentía mucho) no hubiera bebido tanto !

A. Mettre au passé (imparfait, passé simple...) les phrases suivantes en faisant l'accord du subjonctif :

1. El doctor insiste para que hagamos este análisis.
2. Dudo que Gerardo consiga aprobar.
3. Es probable que el cartero haya pasado ya.
4. Siento mucho que no puedas prestarme este disco.
5. No puedo admitir que me contestes con grosería.
6. Quiero terminar esta versión antes de que anochezca.
7. Me extraña mucho que la secretaria no esté aquí todavía.
8. Estamos satisfechos con tal que nos dejen tranquilos.
9. Te espero hasta que sean las dos.
10. Le ruego (que) reciba mis saludos.
11. Busco un intérprete que sepa traducirme esta carta.
12. Te invitamos a cenar a no ser que estés ocupado.
13. No soporto que vuelvas con tanto retraso.
14. Es demasiado tarde para que vayas al mercado.
15. Me temo que vengan con todos sus hijos.
16. Tú vas a pedirles que traigan su raqueta de tenis.
17. Es normal que te pongas un abrigo con el frío que hace.
18. El Director desea que usted vaya a su despacho.
19. Me parece increíble que andes tan rápidamente.
20. Me gusta que usted se sienta bien en mi casa.

B. Modifier les phrases ci-dessous en empoyant l'imparfait du subjonctif :

1. Habiá adelantado mucho desde que había llegado a Sevilla.
2. Me gustaría tener una buena salud.
3. El trayecto era mucho más corto de lo que había creído.
4. Querríamos pedirte el favor de acompañarnos.
5. De tener más tiempo, me habría quedado con placer unos días más en su chalet.
6. El aprendiz intentó hacer lo que le había dicho el amo.
7. Yo desearía saber cantar.
8. Castigó finalmente al que había amado.
9. Querría haber escrito esta novela.
10. Se habría dicho que el tiempo iba a cambiar.

C. Traduire :

1. Je ferai comme si je ne l'avais jamais vu.
2. Il travaille mieux seul que si on l'aidait.
3. Le temps est pire que si nous étions en hiver.
4. Il gagne moins d'argent à travailler que s'il était au chômage.
5. Il est plus fort que s'il avait mangé des épinards.
6. Il crie comme si on l'égorgeait.

A. Transformer les phrases suivantes selon les modèles :

Es necesario quitar las piedras : los campesinos podrán cultivar la tierra
→ Es necesario quitar las piedras para que los campesinos puedan cultivar las tierras.
Era necesario quitar las piedras : los campesinos podían cultivar la tierra
→ Era necesario quitar las piedras para que los campesinos pudieran cultivar las tierras.

1. Los campesinos tienen que remover la tierra : habrá cosechas.
2. Los campesinos tuvieron que remover la tierra : hubo cosechas.
3. Hay que cortar mucha leña : la chimenea calienta la sala.
4. Había que cortar mucha leña : la chimenea calentaba la sala.
5. Hace falta cuidar los árboles : los frutales no se marchitarán.
6. Hacía falta cuidar los árboles : los frutales no se marchitaban.
7. Es necesario tener mucha lluvia : el trigo crece.
8. Era necesario tener mucha lluvia : el trigo crecía.
9. La azafata hace muchos esfuerzos : los pasajeros estarán satisfechos.
10. La azafata hacía muchos esfuerzos : los pasajeros estaban satisfechos.
11. El médico propone una receta audaz : el enfermo recobrará la salud.
12. El médico propuso una receta audaz : el enfermo recobró la salud.
13. Los investigadores se afanan : el cáncer desaparecerá.
14. Los investigadores se afanaron : el cáncer desapareció.

B. Mettre au discours indirect les phrases selon le modèle :

El oficial ordona a los soldados : ¡ Pónganse en fila ¡
→ El oficial ordena a los soldados que se pongan en fila.

1. El maestro me aconseja : « ¡ Lee tu ejercicio y hazlo de nuevo ! »
2. Nos dijeron nuestros amigos : « ¡ Venid lo antes posible ! ¡ Daos prisa ! »
3. Le suplico a Vd : « ¡ Tenga cuidado ! ¡ No pise las flores del jardín ! »
4. Te aconsejamos : « ¡ Suelta los hilos del teléfono ! ¡ Obedece pronto ! »
5. Emilio nos dijo con sorna : « ¡ Acercaos y cogedme ! »
6. Mamá nos prohibió : « ¡ No digáis cosas tan feas ! »
7. Ya te dijimos : « ¡ Diviértete pero no nos molestes ! »
8. Nos rogó el cliente : « ! Contéstenme a vuelta de correo ! ¡ no tarden ! »
9. Te lo digo una vez más : « ¡ Siéntate ahí y no te muevas más ! »
10. Nos avisó el policía : « ¡ Pónganse el cinturón de seguridad y circulen por la derecha ! »
11. Nuestros amigos nos sugieren : « ¡ Id a la estación y sorprendedles ! »
12. Nos recomendó el vendedor : « ¡ Compren este televisor ! Es barato. »
13. Alberto nos propone : « ¡ Venid conmigo al cine ! ¡ No me dejéis solo ! »
14. El maestro ordenó a sus alumnos : « ¡ Levantaos y salid ! »
15. Te suplico : « ¡ Haz menos ruido ! »

C. A l'inverse de l'exercice précédent, remettre à la forme directe les phrases suivantes :

1. Nos escribieron que les contestáramos por correo o que les telefoneásemos.
2. En el Metro, se aconseja a los viajeros que no empujen y que dejen salir.
3. El ama de casa ordenó a la chica que barriera el comedor y que hiciera la limpieza de las habitaciones.
4. El Director de Ventas prohibe a sus empleados que fumen en su despacho.
5. El empresario pidió a su secretaria que le preparara el informe para el día siguiente.
6. Su novia sugiere a Pedro que vaya con ella a hacer gestiones oficiales.
7. El turista extranjero me rogó que yo le indicara dónde estaba la calle de Alcalá.
8. Mis padres me recomendaron que no se me olvidara escribirles.
9. Propusimos a nuestro cuñado que viniera a cenar a casa.
10. El mendigo nos pide que le demos una limosnita.
11. Los pobres viajeros suplicaron a los ladrones que no los matasen y que los dejaran irse.
12. Dice el médico a su cliente que se siente y que abra la boca.
13. Le ruego al Director (que) se sirva concederme una entrevista.
14. Los fieles pidieron al obispo que les diera su bendición.
15. La publicidad aconseja a los telespectadores que compren y que consuman.

D. Traduire :

1. Je te prie de m'écouter.
2. Nous lui avons dit de venir.
3. Ne bouge pas avant que ton père ne revienne.
4. Il insista pour que je lui donne le renseignement.
5. Nous n'étions pas sûrs qu'il nous ait dit toute la vérité.
6. Dis-leur de ne pas insister.
7. Il serait étonnant qu'il ne nous écrive pas.
8. Je ne suis pas content que tu aies abîmé ta bicyclette.
9. Nous avions beaucoup regretté qu'ils ne soient pas venus.
10. Je ne peux pas jouer du piano sans que mes voisins rechignent.
11. Tu nous enverras une lettre quand tu seras arrivé.
12. On donnera une bonne note à celui qui répondra le mieux.
13. Tant qu'il y aura de la vie, il y aura de l'espoir.
14. Tu peux sortir à condition de bien te couvrir.
15. Il serait regrettable que tu ne fasses pas un minimum d'efforts.
16. Tu deviendras plus fort à mesure que tu grandiras.
17. Je partirai en vacances dès que mes problèmes seront réglés.
18. Le dernier qui sortira fermera la porte.
19. On avait dit que celui qui parlerait serait puni.
20. Pourvu qu'il n'y ait pas d'embouteillages !

E. Former une phrase complète et cohérente en reliant les deux éléments qui la composent :

1. No se presentó al examen
2. Nos da una lección de humildad
3. Es cosa admitida por todos
4. No quiso el nuevo Presidente
5. No me moveré de aquí
6. Desvalijaron la joyería
7. El nuevo Presidente prometió
8. El patrón pidió al dependiente
9. No había ninguna ocupación
10. Dio mucha inquietud a tu madre

A. que habría elecciones a fines del año.
B. hasta que me echen afuera.
C. que divirtiera a los pobres niños.
D. por temor de que le suspendiesen.
E. el que hubieras tardado tanto.
F. que hubiera elecciones a fines del año.
G. que atendiese a los clientes.
H. el que el hombre sea mortal.
I. que el trabajo es un tesoro.
J. sin que la policía se enterara.

119 L'hypothèse dans la proposition subordonnée

A. Mettre au futur les phrases suivantes, en appliquant la concordance des temps :

1. Te llamo cuando te necesito.
2. El taxista llegó en cuanto las maletas estuvieron preparadas.
3. Hago como quieres.
4. Hago mis compras en la tienda que me propone los mejores precios.
5. Al primero que se mueve, lo frío.
6. Te esperaba donde había poco sol.
7. Hacemos lo que nos da la gana.
8. Mientras duerme el niño, su mamá le prepara su papilla.
9. Apenas se levantó el sol, los labradores salieron para el campo.
10. Todos levantaron la vista tan pronto como la chica se asomó al balcón.
11. Luego que llega la primavera brotan las violetas.
12. El empresario contrató al primer obrero que se presentó.
13. Todo lo que haces por mí me conmueve.
14. Quien va a Sevilla pierde su silla.
15. Me duele el hígado cuando como demasiado chocolate.

B. Mettre au conditionnel les phrases précédentes en appliquant la concordance des temps :

C. Mettre le verbe au temps et à la personne qui conviennent :

1. Me lo contarás cuando (venir) a verme.
2. No vacile Vd en decírmelo tan pronto como lo (saber).
3. Podéis subir a los árboles con tal que no los (estropear).

4. Cuando yo (morirse), enterradme en el cementerio de mi pueblo.

5. Iremos al museo del Prado en cuanto (llegar) a Madrid.

6. Cuando (crecer) los árboles, darán sombra.

7. Daré la información a quien me la (pedir).

8. Luego que (encender) la luz, correrás las cortinas.

9. Iré tomando apuntes conforme Vd (leerme) et documento.

10. De buena gana lo explicaría a quien me lo (preguntar).

11. Aumentaría el capital a medida que los suscriptores (ahorrar).

12. Créeme, iría contigo adonde (querer).

13. Mientras (tocar) los músicos, bailaríamos.

14. Me devolverías el dinero tan pronto como (necesitarlo).

15. Por la mañana iríamos a la playa tan pronto como (amanecer).

D. Traduire :

1. Nous l'attendrons sur le quai quand le train arrivera.

2. Nous trinquerons à sa santé dès qu'il aura fini son discours.

3. Tant qu'il y aura de la vie, il y aura de l'espoir.

4. Il me disait qu'il m'aiderait quand il aurait le temps.

5. Tu achèteras les plus belles pommes de terre que tu trouveras au marché.

6. Il répétait qu'il se reposerait dès que la saison serait terminée.

7. Le chien obéira à tous les ordres que tu lui donneras.

8. Le premier qui parlera sera puni.

9. Nous sortirons le bateau aussitôt que le vent faiblira.

10. Je ferais avec plaisir tout ce que tu me demanderais.

121 La phrase conditionnelle

A. Employer les verbes entre parenthèses au temps et à la personne qui conviennent :

*Si hiciera buen tiempo, **saldría** a pasear.*

1. Si a usted le (dar) estos zapatos, yo (perder) dinero.

2. Si (llover) siempre como hoy, Aldeaseca no (llamarse) Aldeaseca.

3. Si yo (poder) soportar el clima del altiplano, (ir) al Perú.

4. Si tu abuelo (haber visto) esta libreta, (haberse muerto) en el acto.

5. Si (construir) buenas carreteras, los turistas (venir) como moscas.

6. Si lo (saber), te lo (decir).

7. Si (visitar) a Granada, (ver) lo hermosa que es.

8. No (preguntar) nada si me (decir) la verdad.

9. Claro que tú (poder) comprender si lo (querer).

10. Si me (dar) la oportunidad, (salir) a torear.

11. Te (hacer) mucho daño si te (herir) con este cuchillo.

12. Yo (dar) algunos pasos por el parque si (sentirme) mejor.

13. España (ser) un país muy rico si (producir) petróleo.

14. Nosotros (poder) ir a la piscina si tú (traer) tu traje de baño.

15. Si (andar) en los trigales, el campesino no (estar) contento.

B. Transformer les phrases suivantes selon le modèle :

Si dejas abierta la puerta del salón, hará frío.
→ *Si **dejaras** abierta la puerta del salón, **haría** frío.*

1. Si está reparado el coche, saldremos a la sierra.
2. Si se nos escapa el perro, será difícil atraparlo.
3. Habrá embotellamientos si los camioneros se declaran en huelga.
4. Tendrás que hacer autostop si pierdes el tren.
5. Te estoy muy agradecido si me puedes prestar algún dinero.
6. No tendrán lugar los campeonatos de esquí si no cae bastante nieve.
7. Haré muchos errores si traduzco esta versión.
8. Es capaz de cualquier locura si se pone a beber.
9. Si puedes alcanzar aquel cuadro, descuélgalo.
10. Llegaremos tarde si andamos tan lentamente.

C. Construire des phrases conditionnelles avec les éléments proposés :

Si/atreverse/saber nadar/cruzar el río.
→ *Si supiese nadar cruzaría el río.*

1. Si/hablar/a nadie/estar de mal humor.
2. Si/coser bien/ un vestido/hacerse.
3. Si/conducir/tener buena vista/un coche.
4. Si/el perro/morderme/excitar/del vecino.
5. Si/ponerse/querer ser elegante/corbata.
6. Si/ir al circo/los payasos/hacer reír.
7. Si/poder cantar/traer/tu guitarra.
8. Si/tener miedo/entre los helechos/las serpientes/andar.
9. Si/jugar a las cartas/ser cuatro/en el salón.
10. Si/la torre Latinoamericana/todo México/poder ver/subir.

D. Compléter les phrases suivantes en mettant le verbe à la forme qui convient :

1. Como (sobrarme) tiempo, echaré una siesta.
2. ¡ Siéntate un momento como (sentirse) cansado !
3. Los equipos se encontrarán otra vez como (haber) empate.
4. El torero hará una buena faena como no (ser) manso el toro.
5. Como (querer) ver mejor, ¡ acércate !
6. Los ancianos se quedarán en casa como (nevar) demasiado.

122 La proposition concessive

A. Compléter les phrases suivantes en respectant l'emploi des modes et des temps :

Por muy tonto que sea, siempre sabrá arreglárselas en la vida.

1. Por ... (cansados) (estar), siguieron andando hasta el anochecer.
2. Por ... (obstáculos) (presentarse), sabré vencerlos.
3. Por ... (activo) (ser), no llevaría a cabo esta tentiva.
4. Por ... (hacer), no podrás imitarlo.
5. Por ... (actividades) (tener), el pobre seguía engordando.
6. Por ... (mala) (ser) la coyuntura, el poder adquisitivo cambia poco.
7. Por ... (protestar) tú, no modificarían sus proyectos.
8. Por ... (necedades) (afirmar) él, nadie le llevaba la contraria.
9. Por ... (agitarse) él, sus amigos no le hacen caso.
10. Por ... (suplicarle), tu padre no te daría el permiso.
11. Por ... (atascos) (retrasarle), él seguía conduciendo con mucha calma.
12. Por ... (mimarle) su madre, el niño no le estará agradecido.

B. Compléter les phrases suivantes :

1. Por mucha paciencia que tuvieras, no ... (poder) soportar tal retraso.
2. Por mucha paciencia que tenías, no ... (poder) soportar tal retraso.
3. Por mucha paciencia que tengas, no ... (poder) soportar tal retraso.
4. Por mucha paciencia que tienes, no ... (poder) soportar tal retraso.
5. Por más que temía a su padre, ... (seguir) desobedeciéndole.
6. Por más que temiera a su padre, ... (seguir) desobedeciéndole.
7. Por muy obstinado que era, ... (acabar) por desanimarse.
8. Por más que te desvivas por él, nunca el (querer) agradecértelo.
9. Por mucho que lo quisieras, no lo ... (conseguir).
10. Por muy feo que es, su mujer le ... (amar) con mucho cariño.
11. Por muchos defectos que tuviera, su madre se los ... (perdonar).
12. Por mucho que se aplique, él ... (progresar) poco.

123 L'affirmation, la cause, la conséquence

A. Voici une série d'expressions. Les compléter à volonté par un verbe employé à l'indicatif, au conditionnel, au subjonctif selon qu'il y a ou non une idée d'affirmation (cf. aussi G 118, 4) :

1. Me da mucha pena que ... - **2.** Nos prometen que ... - **3.** Está bien que ... - **4.** Estoy seguro de que ... - **5.** No estoy seguro de que ... - **6.** Te digo que ... (*ordre*) - **7.** Te digo que ... (*déclaration*) - **8.** Es normal que ... - **9.** Era evidente que ... - **10.** Veo que ... - **11.** El pretendía que ... - **12.** No pretendemos que ... - **13.** Creemos que ... - **14.** ¿ Tú crees que ... ? - **15.** La prensa anuncia que ... - **16.** No podemos admitir que ... - **17.** Es útil que ... - **18.** Es verdad que ... - **19.** No es verdad que ... - **20.** Nos pidieron que ...

B. Compléter les phrases suivantes par un verbe à l'indicatif, au conditionnel ou au subjonctif selon qu'il y a ou non interrogation indirecte, cause, conséquence ou hypothèse :

1. Saldré puesto que ... (hacer buen tiempo).
2. No saldré hasta que ... (hacer buen tiempo).
3. Sé que ... (ser la una).
4. No sé qué ... (ser la hora).
5. Si tú ... (venir), estaría contento.
6. No sé si tú ... (venir).
7. No sabía si tú ... (venir).
8. Si tú ... (venir), estaré contento.
9. Hacía tanto frío que ... (quedarme) en casa.
10. Ignoro quién ... (actuar) en esta película.
11. Yo contestaría mal a quien ... (hablarme) mal.
12. Nos esperaron hasta que ... (salir).
13. Nos llevaremos bien ya que ... (ser) amigos.
14. No sabíamos por dónde ellos (pasar).
15. Solía madrugar si (estar) de vacaciones.

124 La notion d'obligation

Traduire

1. Il faut manger pour vivre.
2. Je dois travailler pour manger.
3. Il faudrait que tu m'écrives.
4. Je dois respecter les vieillards.
5. Il doit être six heures.
6. Tu dois savoir (= sache) que Paul est malade.
7. Il faut voir cette exposition.
8. Il fallut agir avec prudence.
9. Je dois cent pesetas à mon cousin.
10. Il faudrait que je me fasse vacciner.
11. Il faut avoir du pétrole.
12. Vous devez être ici à cinq heures.

125 Différents aspects de l'action

A. Trouver des constructions synonymes de celles qui sont soulignées :

1. <u>Acostumbrábamos</u> mirar el serial del lunes.
2. <u>Procuraré</u> llegar a tiempo la próxima vez.
3. <u>Leyó de nuevo</u> la carta de su tía.
4. Tu colega <u>ha telefoneado hace poco</u>.
5. Después de tanta lluvia, el patio <u>se ha vuelto</u> una verdadera charca.
6. El antiguo cartero <u>ha venido a ser</u> alcalde de su pueblo.

B. Donner une traduction du français « devenir » dans les phrases suivantes :

1. En otoño, las hojas de los árboles ... amarillas.
2. Frente al léon, el domador ... verde de miedo.
3. La antigua Facultad ... un verdadero zoco.
4. En pocos meses, este niño ... un hombre.
5. La modesta Magerit del Siglo XVI ... la capital de España.
6. ... nervioso cuando se dio cuenta de que su coche no estaba reparado.
7. Quiero ... duro frente a la realidad de la vida.
8. ... viejo, ... muy pacífico.

126-127 Verbes impersonnels - Verbes affectifs

Traduire :

1. Il y avait trois jours qu'il n'était pas sorti.
2. Il y a eu de l'orage cette nuit.
3. Il neigera ou il gèlera cette nuit.
4. C'est à nous de jouer !
5. J'avais oublié de vous le dire, Madame.
6. J'ai beaucoup de peine à écrire dans cette langue.
7. Il nous arriva une aventure étonnante.
8. Nous eûmes l'idée d'entrer dans un cinéma.
9. Il eut tout à coup l'envie folle d'acheter un chapeau tyrolien.
10. Cela le fit rire.

CORRIGÉS DES EXERCICES

6. L'accent tonique.

A. Otro día me preguntó mi madre qué era lo que yo pensaba hacer. Yo había visto a Manolete. Empezó más pobre y desgraciado que yo. Tú lo sabes. Y en poco tiempo se hizo millonario. Le compró una casa a su madre y un piano a su hermana. Amigos y admiradores le rodeaban siempre. Y la Prensa no hablaba más que de sus triunfos. Un día me arrimé a él, incluso llegué a tocarle, y vi que era de carne y hueso como yo. Hablaba tan bien como cualquiera y de lo que todo el mundo. No tenía un cerebro extraordinario como Einstein o como García Lorca. Era sencillamente un hombre como yo y como tú, como todos... Y si él había conseguido todo aquello sin ningún don especial, ¿ por qué no habría de lograrlo yo también ? Así que le contesté a mi madre que sería torero. Desde ese día tuve que luchar con ella, pero al fin me salí con la mía. »

B. Aquel día, en el café que está próximo a la estación del Éste, Juan y Antonio cenaron con muchísimo apetito. Éste pidió media botella de Jerez para acompañar los entremeses, y aquél sólo bebió agua con gas. Tras una conversación amistosa, fértil en anécdotas, súbitamente Juan se puso colorado y dijo con confusión, volviéndose hacia su comensal : « Dime, Antonio, no sé en qué estoy pensando, pero me doy cuenta de que esta mañana me fui de casa de prisa, y aquí estoy sin ningún dinero, ¡ fíjate ! No sé dónde tengo la cabeza, se me olvidó también pasar por el Banco. Préstame dos mil pesetas, porque sin ti no sé qué hacer. Te las devolveré lo antes posible, créeme. » Antonio se rió : « Devuélvemelas cuando puedas, dijo prestándole la cantidad solicitada, eso no tiene importancia... » Y con algún tono de burla añadió : « No te cobraré ningún interés, no es mi carácter. »

7. L'article défini.

A. 1. El bigote del professor - **2.** La chimenea de la casa. - **3.** Hablo al director. - **4.** Lo diré a la secretaria. - **5.** La actuación del artista.

B. 1. Las hijas de los doctores. - **2.** Los periódicos de las semanas pasadas. - **3.** Contestad a las preguntas. - **4.** Las claves de los enigmas. - **5.** Las manos de los cirujanos.

C. 1. el/la/las. - **2.** el/el - **3.** de/el/la/las.- **4.** los. - **5.** el/la. - **6.** la/al/señor Director/el señor Presidente/las/la. - **7.** el/a. - **8.** a Italia/Piamonte/la Toscana artística. - **9.** los monumentos más famosos/la/el edificio más visitado.

D. 1. El águila negra anida en la cumbre de la alta sierra. - **2.** Se dice que la Adela tiene el alma cándida. - **3.** La amapola roja crece cerca del agua del arroyuelo. - **4.** El ama de casa tiene a veces la actividad más ingrata. - **5.** A la americana también le gusta el arma en la película del Oeste. - **6.** El ladrón disimuló la alhaja en el arca profunda. - **7.** El hacha del lañador cortó el tronco del haya. - **8.** El asta afilada del toro es una amenaza terrible para el torero. - **9.** El hada apareció detrás del árbol de la alameda.

10. Omission de l'article défini.

1. Este diplomático residió en el Perú, en el Ecuador y en Bolivia. - **2.** El Mulhacén es el pico más alto de España. - **3.** Los criminales más peligrosos eran mandados a presidio. - **4.** Visité Italia, Alemania, Suiza y los Estados Unidos. - **5.** La reina salió de Palacio para ir a misa. - **6.** Este aventurero ha vivido en Méjico, en el Perú y en el Japón. Sale mañana para la Alemania del Este.

11. L'article neutre *lo*.

A. 1. Muchos espectadores reían en lo más dramático. - **2.** Sólo ves lo agradable del espectáculo. - **3.** No te fijes en lo comercial de esta película. - **4.** Lo que más me gustaba era ir al cine. - **5.** Habían colocado carteles en lo alto del edificio. - **6.** Lo delicado del español es la gramática. - **7.** Estoy todavía preocupado por lo del año pasado. - **8.** No hay que lamentar lo hecho.

B. 1. Es difícil decir lo guapa que es esta chica. - **2.** Date cuenta lo lluvioso que está el tiempo hoy. - **3.** Mira lo caras que están las alcachofas hoy. - **4.** Fíjate lo ricos que son estos empresarios. - **5.** No es fácil imaginar lo desagradables que fueron nuestras vacaciones. - **6.** Me acuerdo de lo amistosa que era su conversación.

12-14. L'article indéfini.

1. ... un ave... - **2.** ¡ Vuelva Vd otro día ! - **3.** De un trago se bebió media botella... - **4.** Después de tan fuerte emoción... - **5.** ... debe de tener unos cincuenta años. - **6.** ... le ofreció unos gemelos... - **7.** En semejante ocasión hay que actuar con cierta precaución. - **8.** ... unas cuantas tabernas. - **9.** Con gran amistad me dio una fuerte palmada... - **10.** El hacha... una herramienta... un arma terrible. - **11.** ... a tal velocidad... se siente otro hombre. - **12.** Hace unos días me comí medio kilo... - **13.** Iré a verte cualquier día para tener contigo una hora... - **14.** Era un hombre... Tendría unos sesenta años. Llevada unos zapatos...

15-19. Le nom et l'adjectif.

A. 1. La directora es amable, acogedora y cortès. - **2.** Esta obrera es trabajadora, competente y hábil. - **3.** La profesora es catalana, de madre andaluza. - **4.** Nuestra doctora es una mujer bonachona, bastante regordeta. - **5.** La atleta es una muchacha joven y musculosa. - **6.** La superiora del convento es una mujer superior.

B. 1. El importante interés del banco inglés. - **2.** La canción triste del poeta bretón. - **3.** El factor económico actual y el problema industrial. - **4.** Este andaluz tiene una voz muy grave. - **5.** El tiburón es un pez muy feroz. - **6.** El análisis permitió descubrir el foco de la enfermedad.

C. 1. Los hijos de los marqueses son holgazanes, descarados y respondones. - **2.** Los bares de las ciudades sirven cafés muy ricos. - **3.** Los capataces desempeñan papeles difíciles en las grandes haciendas. - **4.** Los rajás pasan sus vacaciones en los hoteles suizos. - **5.** Los delegados marroquíes fueron acogidos por los ministros sudaneses. - **6.** Los jueves eran los días de recepción de los embajadores israelíes.

D. 1. El poeta japonés era un profesor reservado y humilde. - **2.** El artista español es un cantante conocido. - **3.** Fue un enemigo infiel, engañoso y traidor. - **4.** El rey anglosajón tenía un confidente hablador y taimado. - **5.** El emperador alemán aplaudió al actor irlandés. - **6.** El bailarín argentino es amigo del doctor.

19. Pluriel du nom et de l'adjectif.

1. Los peces nadan en los ríos, en los rincones donde las aguas son profundas. - **2.** Los jabalíes son animales feroces y rencorosos. - **3.** Los tisúes grises de los jubones de los gentileshombres. - **4.** Los lápices azules sirvieron para escribir las canciones. - **5.** Los jueces examinaron los rubíes abandonados por los ladrones. - **6.** Las crisis económicas afectan los sectores agrícolas e industriales. - **7.** Estos jóvenes tienen miradas vivaces e inteligentes. - **8.** Los dominós son juegos apreciados por los viejos maestros. - **9.** Cualesquiera que sean las dificultades, los arquitectos iraníes les resuelven. - **10.** Las maestras, que eran muy corteses, le parecieron mujeres superiores. - **11.** Los poetas alemanes harán conferencias los miércoles. - **12.** Los convoyes militares pasan por los arrabales de las grandes ciudades. - **13.** Los jóvenes papás esperan a sus hijos a la salida de los colegios.

20-21. **Les diminutifs.**

1. mozuelo, mocito. - **2.** Luisito, Luisillo. - **3.** señorita. - **4.** huevecito. - **5.** ahorita. - **6.** hombrecito. - **7.** cochecito. - **8.** panecito. - **9.** vientecillo. - **10.** amiguita. - **11.** reyezuelo, reyecito. - **12.** cerquita. - **13.** arbolito. - **14.** Carmencita. - **15.** pastorcito. - **16.** florecita. - **17.** liebrecita. - **18.** calorcito. - **19.** trocito. - **20.** bajito. - **21.** doctorcito. - **22.** jovencito. - **23.** mesita. - **24.** manita. - **25.** lucecita. - **26.** perrito. - **27.** trenecito. - **28.** niñita. - **29.** leccioncita. - **30.** piececito. - **31.** papelito. - **32.** librito, librillo. - **33.** rapazuelo. - **34.** cuernecito. - **35.** papaíto. - **36.** vaporcito.

23. **Suffixes exprimant l'idée de « coup ».**

1. una pincelada. - **2.** a codazos y a puñetazos. - **3.** sablazo. - **4.** la estocada. - **5.** un martillazo. - **6.** balazos y cañonazos. - **7.** a puñaladas. - **8.** portazos/fusilazos.

24. **Suffixes collectifs.**

1. arrozal. - **2.** patatal. - **3.** pinar. - **4.** encinar. - **5.** castañar. - **6.** robledal. - **7.** manzanar. - **8.** fresneda. - **9.** pedregal. - **10.** lodazal. - **11.** zarzal. - **12.** barrizal. - **13.** cañar, cañaveral.

25-26. **Les comparatifs.**

A. 1. tan/como. - **2.** tanto/como. - **3.** tan/como. - **4.** tanto/como. - **5.** menos/que. - **6.** tanto/como - **7.** más/que. - **8.** más/de la que. - **9.** más/de lo que. - **10.** menos/de lo que. - **11.** tantas/como. - **12.** tan/como. - **13.** menos (= peores)/de lo que. - **14.** tan/como. - **15.** más (o menos)/de lo que. - **16.** más/del que.

B. 1. No tengo tanta paciencia como tú. - **2.** Visto desde cerca, es menos alto de lo que creía. - **3.** Estaremos mejor en el comedor que no en la cocina. - **4.** Salieron tan pronto como habían entrado. - **5.** Trataré de traducir este texto tan fielmente como lo pueda. - **6.** Ven a verme tantas veces como quieras. - **7.** No podemos salir tanto como lo quisiéramos. - **8.** Tiene mejores resultados de los que tenía el año pasado. - **9.** El oro vale mucho más que la plata. - **10.** Bebo tanto vino como agua. - **11.** Este problema es mucho más fácil de lo que parece. - **12.** El hermano mayor le causó más cuidados que no el más joven. - **13.** No habrá tanta gente como el año pasado. - **14.** Este cazador es menos certero de lo que pretende. - **15.** Es tan tonto como presumido.

27. **Traduction de « autant ... autant ».**

1. Cuantos (tantos) hijos, tantos problemas. - **2.** Cuantos (tantos) excesos de velocidad, tantos accidentes. - **3.** Cuan trabajador es Luis, tan perezoso es su hermano. (ou : Tanto Luis es trabajador como perezoso su hermano.). - **4.** Cuanto le admiré antes, tanto le desprecio ahora. (ou : Tanto le admiré antes como le desprecio ahora.). - **5.** Cuan guapa es la madre, tan fea es la hija. (ou : Tan guapa es la madre como (es) fea la hija.). - **6.** Cuan verde es el Norte, tan desértico es el Sur. (ou : Tanto el Norte es verde como desértico el Sur.). - **7.** Cuanto quiero a mi padre, tanto le temo. (ou : Quiero tanto a mi padre como le temo.). - **8.** Cuantos (tantos) amigos, tantas alegrías.

28. Traduction de « plus ... plus », « moins ... moins ».

A. 1. cuantas más/más. - **2.** cuanto más/más. - **3.** cuanto más/más. - **4.** cuanto más/más. - **5.** cuanta más/más. - **6.** cuantos más/más. - **7.** cuanto más ... más. - **8.** cuanto más/más. - **9.** cuantas más/más. - **10.** cuanto menos/más.

B. 1. Cuanto más viaja, más quiere viajar. - **2.** Cuanto más viejos se hacen sus padres, más los quiere. - **3.** Cuantas menos dificultades hay, más errores hace. - **4.** Cuanto menos trabajamos, menos queremos trabajar. - **5.** Cuanto menos comas, mejor te encontrarás. - **6.** Cuanto menos hables, menos tonterías dirás. - **7.** Cuanto más viejos somos, más experiencia tenemos. - **8.** Cuanto más calor hace, más nervioso se pone.- **9.** Cuantos más libros tiene, menos lee. - **10.** Cuantos más recursos tiene, más dinero le gusta gastar.

29. Traduction de « d'autant plus ... que », « d'autant moins ... que ».

A. 1. Leía con tanta más pasión cuantos más libros le prestaban. - **2.** Corre con tanta más velocidad cuanto más joven es. - **3.** Habla con tanta más precipitación cuanto más nervioso es. - **4.** Trabaja con tanto más ardor cuanto mejor le pagan. - **5.** Come con tanto más apetito cuanto mejor cocinera es su madre. - **6.** Progresa con tantos menos esfuerzos cuanto más inteligente es. - **7.** Compra tantos menos tebeos cuanto más numerosa es su familia. - **8.** Merece tanto más la victoria cuantas más dificultades ha tenido. - **9.** Le pareció tanto más famosa la cerveza cuanta más sed tenía. - **10.** Tenía tanta más impaciencia para llegar cuanta menos gasolina tenía.

B. 1. tanta más/cuanto más. - **2.** tanta más/cuantas más. - **3.** tanto más/ cuantos más. - **4.** tanta más/cuanto más. - **5.** tanto más/cuantas menos. - **6.** tanta más/cuantos menos. - **7.** tanto más/cuantos más... - **8.** tanto más/cuanto peor. - **9.** tanto más/cuanto más. - **10.** tantos menos/cuanto más.

C. 1. Estoy tanto más triste (cuanto) que estamos en invierno. - **2.** Estamos tanto más encantados (cuanto) que nos acompañarán nuestros padres. - **3.** Tengo que irme, tanto más cuanto que me están esperando. - **4.** Le encuentro tanto más simpático (cuanto) que es mi primo. - **5.** Me siento tanto más aliviado (cuanto) que habrá un doctor con nosotros. - **6.** Estaba tanto menos arrogante (cuanto) que le habían sorprendido robando. - **7.** Hubiera tenido que irse más temprano, tanto más (cuanto) que yo le había avisado. - **8.** Me siento tanto menos a gusto (cuanto) que no estoy en mi casa.

30. Le superlatif relatif.

1. Es el día más caluroso que hemos tenido este mes. - **2.** La panadería del pueblo es la tienda más moderna de todas. - **3.** La mejor película que nunca he visto era la de Fellini. - **4.** Es la menor cosa que podemos hacer para él. - **5.** Méjico es una gran ciudad, la ciudad más poblada de América Latina. - **6.** Diciembre había sido el mes peor que habíamos conocido. - **7.** Nuestros vecinos son las personas más amables que se puede imaginar. - **8.** Las pinturas de Velázquez me parecen las obras más representativas del Siglo de Oro. - **9.** Es el museo menos interesante que nunca he visitado. - **10.** El día más largo del año es el 21 de junio.

31. Le superlatif absolu.

A. 1. interesantísimo. - **2.** guapísima. - **3.** facilísima. - **4.** eficacísima. - **5.** divertidísima.- **6.** notabilísima. - **7.** acérrimo. - **8.** riquísimo. - **9.** amabilísima. - **10.** simpatiquísimos.

B. 1. pequeñísimo. - **2.** ferocísimo. - **3.** agradabilísimo. - **4.** valentísimo. - **5.** modestísimo. - **6.** capacísimo. - **7.** miserabilísimo. - **8.** celebérrimo. - **9.** altísima. - **10.** paupérrimo (pobrísimo). - **11.** sequísimo. - **12.** bajísima. - **13.** inteligentísimo. - **14.** libérrimo.- **15.** blanquísima. - **16.** anchísima.

32-33. L'apocope.

A. 1. ningún trabajo. - **2.** alguna preparación. - **3.** recién planchado ; con gran timidez.- **4.** un día malo ; un día de mal agüero. - **5.** construída recientemente ; su Santo Patrón es San Pablo. - **6.** edificio grande ; más de cien años. - **7.** cualquier cosa. - **8.** ninguno de estos libros ; hay uno bueno. - **9.** ciento dos años ; no padecía achaque alguno. - **10.** cualquiera que sea ; será algún día. - **11.** la primera bocacalle. - **12.** Francisco Primero. - **13.** el primer libro ; un buen libro.

B. 1. algún/alguna/alguno. - **2.** buenos/buen/bueno. - **3.** cualquiera/cualquier. - **4.** mal/malo/malo/mala/malos. - **5.** ninguna/ninguna. - **6.** cien/cien/ciento. - **7.** un/uno/una/una. - **8.** recientemente/recién/recién. - **9.** gran/grande/gran/gran. - **10.** primer/primera/primer. - **11.** santos/san/santo/santo/san/santas/santa/santa. - **12.** tan/tanto/tanta.

34-37. La numération.

A. 1. setecientos once/mil cuatrocientos noventa y dos. - **2.** mil quinientos cuarenta y siete/sesenta y nueve. - **3.** doscientos mil/quinientas dos mil cuatrocientas setenta y nueve/mil novecientos ochenta y seis. - **4.** mil ochocientos ocho. - **5.** novecientos nueve mil novecientos noventa y nueve/setenta y siete mil setecientas siete. - **6.** mil novecientos ochenta y uno/treinta y siete millones ochocientos mil.

B. 1. la octava maravilla. - **2.** Luis Trece/Felipe Cuarto. - **3.** Los dos tercios (las dos terceras partes). - **4.** Felipe Segundo/el siglo dieciseis. - **5.** un cien milésimo. - **6.** soy el tres mil seiscientos veintidós. - **7.** un cincuentavo. - **8.** los siete octavos. - **9.** Fernando Séptimo/Carlos Cuarto. - **10.** un trescientos sesentavo. - **11.** Luis Catorce/Felipe Cuarto.- **12.** la centésima/la milésima.

C. 1. Todos los miembros de la familia recibieron sendas cartas. - **2.** Los nadadores avanzaron entrambasaguas. - **3.** Los dos peatones hicieron una pregunta al guardia ; éste les contestó a entrambos. - **4.** Los soldados desfilaban con sendos fusiles. - **5.** Había unas cincuenta casitas cerca del río. - **6.** En ambas márgenes del río paseaba gente endomingada. - **7.** Estos dos hermanos son mellizos ; ambos son pelirrojos. - **8.** Los manifestantes corrían con sendas banderitas.

38-39. Les possessifs.

A. 1. Amad a vuestros prójimos. - **2.** Un amigo tuyo ha preguntado por ti durante tu ausencia. - **3.** Los soldados deben obedecer a sus superiores. - **4.** Este paraguas es suyo, señora, no es el de su marido. - **5.** Es un egoísta, no piensa más que en lo suyo. - **6.** Tenemos nuestros motivos y sin duda tenéis los vuestros. - **7.** Esta grabadora no es suya, señor, es la de su colega. - **8.** Siento mucho decírselo, señores, pero sus modales no me gustan. - **9.** No te metas en lo mío, no me meteré en lo tuyo. - **10.** Compañeros, el Director os espera para que le digáis vuestras opiniones y vuestros deseos sobre el caso. - **11.** Niños, estos juguetes no son vuestros. Jugad con vuestras bicicletas que están allí. - **12.** Siéntese cada uno en su silla ; ésta es la suya, señora.

B. 1. A mi vecina se le murió el marido. - **2.** Se nos estalló el neumático durante el viaje. - **3.** Se nos presentó a la vista un espectáculo extraordinario. - **4.** Se le ha pasado por la cabeza alguna idea extraordinaria. - **5.** Las lágrimas se le escurrían por la cara.- **6.** A usted se le ha caído el pelo. - **7.** Se os han acabado las cerezas del huerto. - **8.** Se os enfermó la hija menor. - **9.** Se nos escapó el perro. - **10.** La escena se te salió de la memoria.

40-41. Les démonstratifs.

A. 1. ¿ de quién ?/esas gafas. - **2.** aquel pico/¿ cuál es ? - **3.** este/aquél. - **4.** estas/aquéllas. - **5.** ese/esas. - **6.** eso. - **7.** ésta/aquellos. - **8.** aquel/aquella. - **9.** esta/ésa. - **10.** este/eso.

B. 1. estos/aquéllos. - **2.** esos/éstos. - **3.** aquellos/éstos. - **4.** aquello/esto. - **5.** estas/ésas.- **6.** eso. - **7.** estos/ésos. - **8.** aquellas/éstas. - **9.** estos/aquéllos. - **10.** estas/esos.

42-45. Traduction de « c'est ».

A. 1. fue ... quien. - **2.** fue donde. - **3.** es cuando. - **4.** es como. - **5.** fue ... donde. - **6.** es donde. - **7.** fue ... cuando. - **8.** fue ... como. - **9.** son ... los que. - **10.** fue ... cuando.

B. 1. Es él el último, soy yo el primero. - **2.** Somos nosotros los que nos levantamos más temprano durante las vacaciones. - **3.** ¿ No eres tú quien has ganado el partido de tenis ? - **4.** Son los Portugueses quienes se han instalado en el Brasil. - **5.** No es a usted, señora, a quien mentiría. - **6.** ¿ Sois vosotros, niños, los que habéis roto el cristal del salón ?

C. 1. Es en el cajón del armario donde están mis pañuelos. - **2.** Fue un vecino quien me ayudó para empapelar el salón. - **3.** Era de ti de quien estábamos hablando. - **4.** Es en junio cuando termino la carrera. - **5.** Fue a mis abuelos a quienes escribí anoche. - **6.** Fue con mucha amabilidad como me acogió el nuevo director. - **7.** Soy yo quien le acompaño hasta su despacho. - **8.** Fue hacia el cementerio hacia donde se dirigieron los motoristas. - **9.** Fue porque me sentía nervioso por lo que le contesté tan duramente.- **10.** Es al guardia a quien me dirijo para tener la información. - **11.** Es la golondrina la que anuncia la primavera. - **12.** Es nuestro tío Juan quien cena con nosotros esta noche.

46. Traduction de « voici », « voilà ».

1. ¡ He aquí la primavera ! - **2.** Aquí tienes lo que te debo. - **3.** Mira, ¡ ahí viene tu hermano ! - **4.** Eso es buen trabajo. - **5.** ¡ Heme aquí ! - **6.** Ahí está tu chaqueta, aquí está la mía. - **7.** Éstas son mis razones. - **8.** ¡ Ahí viene el cartero !

47-50. Les relatifs.

1. que. - **2.** lo que. - **3.** que. - **4.** cuantas. - **5.** a quien. - **6.** que. - **7.** a dónde. - **8.** de quien.- **9.** el que. - **10.** la cual. - **11.** cuantos. - **12.** a quienes. - **13.** el cual. - **14.** en que. - **15.** quien. - **16.** cuanto. - **17.** la cual. - **18.** lo cual. - **19.** quién. - **20.** en el que. - **21.** quien.- **22.** las que.

51. Traduction de « dont » : CUYO.

1. Es un autor poco conocido cuyas obras no han sido nunca editadas. - **2.** Toma este medicamento cuyos efectos son sorprendentes. - **3.** Es un nuevo colega cuyo nombre no sé todavía. - **4.** Mira esta casa cuyas ventanas están adornadas de flores. - **5.** Tiene un coche nuevo cuyo motor es de quince caballos. - **6.** Era una iglesia cuyas campanas han desaparecido durante la guerra. - **7.** El Canadá es un gran país cuyos habitantes son acogedores. - **8.** Pronunció unas palabras cuyo sentido me pareció oscuro.- **9.** Era un extranjero cuyos modales eran curiosos. - **10.** Quería escribir a su primo cuya dirección no recordaba. - **11.** Fuimos recibidos por el alcalde cuya amabilidad nos encantó. - **12.** Cruzó una calle cuya anchura le asombró. - **13.** Pasaron a nado el río cuya profundidad no conocían. - **14.** Era un cielo de noviembre cuyas nubes no dejaban pasar el sol. - **15.** La isla era un paraíso cuyos perfumes nos embriagaban.

52. Préposition + CUYO.

1. Es un árbol poco frondoso entre cuyas ramas ... - **2.** Sigue hasta la iglesia a cuya izquierda verás ... - **3.** Visitamos una casa andaluza en cuyo zaguán vimos ... - **4.** Zamora es una ciudad histórica bajo cuyas murallas ... - **5.** Es un sinvergüenza de cuyas palabras no me fío. - **6.** Granada es una perla en cuyos jardines se respira ... - **7.** San Gregorio de Valladolid es también un museo dentro de cuyos muros ... - **8.** Es difícil la lengua vasca de cuyos orígenes ... - **9.** Es un viejo caserón sobre cuyas paredes han fijado carteles. - **10.** Es un coto de caza fuera de cuyos límites se ven ... - **11.** Se acercó a la ventana detrás de cuyos cristales se distinguía el jardín. - **12.** En la niebla apareció la mole de la montaña a cuyo pie ... - **13.** Era una fábrica de cerámica por encima de cuyos tejados ... - **14.** Aquí está el garaje por cuya ventana ... - **15.** Desfiló todo el regimiento a cuya cabeza ...

53. Traduction du relatif « où ».

1. Este es el pueblo donde pasé mis vacaciones. - **2.** Es la hora a la que pasa el tren. - **3.** Es la hora cuando regresan los rebaños. - **4.** Avanzó hacia donde había oído ruido.- **5.** ¿ Podré salirme del trance en que estoy ? - **6.** El çine donde proyectan películas del Oeste. - **7.** Dime por dónde has pasado. - **8.** Ésta es la cama en que murió.

54-56. Les pronoms personnels.

A. 1. Yo te repito que espero verte la semana que viene. - **2.** Señora, ¿ le he dicho que me gustaría volver a verla ? - **3.** Vosotros debéis obedecer, niños ; si no, vosotros iréis a acostaros sin postres. - **4.** Cuando ustedes se hayan sentado, señoras y señores, nosotros podremos decirles cuánto nos gusta acogerles aquí. - **5.** Me miró y se puso a hablarme ; yo no supe qué contestarle. - **6.** Ven conmigo ; yo te explicaré cómo habrá que contestarles. - **7.** Juana está enamorada de Pablo y sólo habla de él. Pero él, el egoísta, no piensa más que en sí mismo. - **8.** Si vosotros os dais prisa, niños, (vosotros) veréis a vuestro abuelo. Decidle que yo quisiera hablarle y darle las gracias. - **9.** Usted se burla de nosotros, señor ; ya le hemos dicho que no queríamos más encontrarle aquí. - **10.** Después de usted, señora, la ruego que se sirva, usted me dará gusto. - **11.** Contigo o sin ti, tú lo sabes ya, él hará lo que tiene decidido. - **12.** Nosotros le conocemos a usted, señor. ¿ No es usted nuestro nuevo vecino ?

B. Deténganse/No tienen que blandir los puñales/He hecho más que ustedes/y ya ven ustedes/no los toquen.

C. 1. ¡ Cerrad la puerta y sentaos ! - **2.** Decidme por qué calle habéis pasado. - **3.** Os lo ruego, ¡ poneos a vuestras anchas y divertíos ! - **4.** ¿ Podéis indicarme dónde está el edificio de Correos ? - **5.** Pasad un buen fin de semana y no penséis más en vuestras preocupaciones. - **6.** ¡ No tengáis miedo ! ¡ Acercaos ! - **7.** ¡ Haced un buen viaje y no olvidéis la familia ! - **8.** ¿ Por qué os preocupáis tanto por estas tonterías ? ¡ Dejadlas ! - **9.** Escribidle para decirle cuándo vendréis. - **10.** Repetidme lo que me dijisteis ayer.

57. Pronoms enclitiques.

1. acabó por venderlo. - **2.** saltándolos. - **3.** enséñamelo. - **4.** empujándolas. - **5.** dínosla.- **6.** cómpramelos (cómpranoslos). - **7.** sólo leyéndola. - **8.** repetídnoslo. - **9.** afirmándonos. - **10.** dígales. - **11.** reservádnoslo. - **12.** me la prestará.

58. Ordre des pronoms.

A. 1. repítemelas. - **2.** devuélvenosla. - **3.** no se lo digáis. - **4.** está abriéndonosla. - **5.** ayudadme. - **6.** no nos los devuelvas. - **7.** destápemela. -

8. prestádnosla. - **9.** no me las deis. - **10.** está leyéndomela. - **11.** no quiere enseñárnoslas. - **12.** envolvédselo. - **13.** sigue limpiándomela. - **14.** se lo digo. - **15.** usted va a preparármelo. - **16.** no me lo traigáis. - **17.** telefoneádmela. - **18.** no me lo preparéis. - **19.** se lo presto. - **20.** no quiero decírselo.

B. 1. vas a repetírnoslas. - **2.** el chófer puede indicároslo. - **3.** el chófer puede indicárselo. - **4.** no se atreven a decírtelo. - **5.** voy a traducírselo. - **6.** basta con pedírmelo. - **7.** cómpratelo.

59. Pronoms personnels qui suivent une préposition.

1. Ha salido conmigo. - **2.** Hay que tener sobre sí la documentación de identidad. - **3.** Según yo, va a llover. - **4.** Repite después de mí. - **5.** Me siento bien cerca de usted, señora. - **6.** Sentaos. - **7.** Pon esta silla entre tú y yo. - **8.** Han hablado de ti y de mí. - **9.** Ya no me hables de ellos. - **10.** Levantaos, es a vosotros a los que hablo. - **11.** Todos lo saben menos (excepto, salvo) yo. - **12.** Nos dice que hay un muro detrás de nosotros. - **13.** Cada problema lleva en sí su solución. - **14.** Ven cerca de mí, haz como yo.- **15.** Cada verdad es buena en sí. - **16.** Iré con vosotros, amigos. - **17.** Iré con usted, señor. - **18.** Es un buen día para usted, señora. - **19.** Para nosotros la fortuna. - **20.** Se dirige a ella, luego a ti.

62. Pronoms personnels compléments (3e personne).

1. dádsela. - **2.** seguiré pidiéndoselo. - **3.** acabará por robárselas. - **4.** vas a abrírselas.- **5.** voy a explicárselo. - **6.** ¿ quieres ir a dárselas ? - **7.** se las dejaré. - **8.** mándasela. - **9.** se lo traigo. - **10.** está arreglándoselos/sólo se los devolverá mañana. - **11.** ¿ por qué no se las ofrece usted ? - **12.** después de arrancárselo. - **13.** ¿ quieres ponérselas ?/yo se las llevaré. - **14.** vamos a comunicárselo. - **15.** llevádselas.

63. Pronoms explétifs.

A. 1. Se le llenaron los ojos de lágrimas porque se le rompió (se le había roto) la espada. - **2.** Se le enrojeció la nariz y se le helaron las orejas. - **3.** Se le erizaron los cabellos. - **4.** Se nos subió el alcohol a la cabeza. - **5.** A don Quijote se le secó el cerebro.

B. 1. La maleta, me la llevé a la consigna. - **2.** Me he comido la mitad de una naranja.- **3.** Se puso un huevo entero en la boca. - **4.** Se tragó casi medio kilo de carne. - **5.** Se pusieron la camisa. - **6.** Me bebí más de un litro de cerveza. - **7.** El bulto pesaba mucho, me lo llevé a hombros. - **8.** Mañana me traeré un bocadillo.

64. Modifications orthographiques.

A. 1. ¡ sentaos ! - **2.** ¡ poneos ! - **3.** ¡ acercaos ! - **4.** ¡ levántense ustedes ! - **5.** ¡ Idos !- **6.** ¡ vestíos ! - **7.** ¡ daos prisa ! - **8.** ¡ acostaos ! - **9.** ¡ caliéntense ustedes ! - **10.** ¡ defendeos ! - **11.** ¡ sonaos ! - **12.** ¡ enriqueceos ! - **13.** ¡ disimúlense ustedes ! - **14.** ¡ callaos ! - **15.** ¡ uníos ! - **16.** ¡ servíos ! - **17.** ¡ quéjense ustedes ! - **18.** ¡ divertíos !

B. 1. ¡ peinémonos ! - **2.** ¡ escondámonos ! - **3.** ¡ tendámonos ! - **4.** ¡ lavémonos ! - **5.** ¡ reunámonos ! - **6.** ¡ démonos prisa ! - **7.** ¡ esforcémonos ! - **8.** ¡ perdámonos !

C. 1. ¡ poneos de acuerdo ! - **2.** ¡ Idos en seguida ! - **3.** ¡ confesádmelo ! - **4.** ¡ acercaos y quitaos el sombrero ! - **5.** ¡ daos prisa y dirigíos hacia la playa ! - **6.** ¡ defendeos y resistidle ! - **7.** ¡ ponte de rodillas y concéntrate ! - **8.** ¡ poneos los zapatos y vestíos ! - **9.** ¡ acercaos y volveos hacia la pared ! - **10.** ¡ cállate y súmete en tus pensamientos !

66-69. Les interrogatifs.

1. cuál. - **2.** qué. - **3.** a dónde. - **4.** dónde. - **5.** cuánto. - **6.** qué. - **7.** dónde. - **8.** quién. - **9.** quién. - **10.** qué. - **11.** quiénes. - **12.** cuál. - **13.** qué. - **14.** cuántos. - **15.** cuántos. - **16.** cuánto. - **17.** cuál. - **18.** quién. - **19.** cuál (cuáles). - **20.** qué.

70. La phrase exclamative.

1. ¡ qué tiempo más malo ! - **2.** ¡ qué gente más divertida ! - **3.** ¡ qué señora más amable ! - **4.** ¡ qué temperatura más primaveral ! - **5.** ¡ qué actor tan sutil ! - **6.** ¡ qué luna tan redonda ! - **7.** ¡ qué sopa tan sabrosa ! - **8.** ¡ qué obra tan maravillosa !

46-53, 66-70. Relatifs. Interrogatifs. Exclamatifs.

1. cuándo. - **2.** cuánto/cuánto. - **3.** quiénes/que. - **4.** porqué. - **5.** que/qué. - **6.** qué. -**7.** con lo cual. - **8.** cuán. - **9.** cuál/cuál/cuántos. - **10.** cuánto/cuándo/dónde. - **11.** cuanto (lo que)/qué. - **12.** por qué/porque. - **13.** quién/cuántos/cuántas. - **14.** dónde/cuál/qué. - **15.** qué/qué. - **16.** cómo/donde. - **17.** cuánto/lo que. - **18.** hay quien dice que ... - **19.** cómo/que. - **20.** quiénes/quién. - **21.** con quién. - **22.** el que. - **23.** qué/que. - **24.** adónde/por qué. - **25.** con cuya. - **26.** qué/qué. - **27.** que/quiénes/por qué. - **28.** quien/quien. - **29.** donde/el cual. - **30.** qué/cuántos.

72-78. Prépositions.

A. 1. a. - **2.** por. - **3.** por. - **4.** para. - **5.** de. - **6.** de/con. - **7.** por/con. - **8.** por. - **9.** con/en. - **10.** de/de/al. - **11.** con/con. - **12.** de/de. - **13.** de/al/con. - **14.** para/a/de/de/por/de. - **15.** por/a/de. - **16.** en/en. - **17.** a/para. - **18.** hacia/sin. - **19.** de/desde. - **20.** para/en/de. - **21.** de/después de. - **22.** por/en. - **23.** en lugar (en vez) de/con. - **24.** por/para. - **25.** sin/desde. - **26.** sin/sin. - **27.** para/a/por. - **28.** contra/de/al. - **29.** para/de. - **30.** con/de/del.

B. 1. por. - **2.** por. - **3.** hasta. - **4.** desde. - **5.** para. - **6.** en. - **7.** para. - **8.** con. - **9.** con. - **10.** a. - **11.** con. - **12.** de. - **13.** para. - **14.** por. - **15.** de. - **16.** con. - **17.** de. - **18.** con. - **19.** de. - **20.** por/por.

C. 1. con. - **2.** del. - **3.** de la. - **4.** de. - **5.** en. - **6.** a. - **7.** sin. - **8.** con. - **9.** a. - **10.** en. - **11.** con. - **12.** por. - **13.** con. - **14.** de. - **15.** con. - **16.** a. - **17.** en. - **18.** al. - **19.** en. - **20.** a. - **21.** menos. - **22.** en. - **23.** a. - **24.** de. - **25.** de. - **26.** en - **27.** en. - **28.** con. - **29.** con. - **30.** de. - **31.** de. - **32.** de. - **33.** de. - **34.** con. - **35.** en (por). - **36.** con. - **37.** con. - **38.** sin. - **39.** a. - **40.** en.

79-80-81. Adjectifs et pronoms indéfinis.

A. 1. a - **2.** c - **3.** d - **4.** c - **5.** a - **6.** b - **7.** c - **8.** a - **9.** d - **10.** b - **11.** b - **12.** c - **13.** a - **14.** d - **15.** b - **16.** d - **17.** c - **18.** a - **19.** a - **20.** a

B. 1. todos los lunes. - **2.** ninguno. - **3.** cualqier. - **4.** cada uno. - **5.** dos alumnos de cada tres. - **6.** me siento bastante nervioso. - **7.** con ambas manos. - **8.** cualquiera. - **9.** enséñame alguno de tus dibujos. - **10.** hay algo nuevo. - **11.** pocas pesetas. - **12.** dame mucha agua y poco vino.

C. 1. No tenemos ningún talento para la pintura. - **2.** ¿ Hay en alguna parte una hoja de papel ? - **3.** No hay nada nuevo, no he tenido ninguna respuesta (respuesta alguna). - **4.** Cualesquiera que sean las circunstancias, seguiré mi ideal. - **5.** Le veo cada dos meses. - **6.** Este chico tiene cierta frescura. - **7.** Bebe mucha cerveza y poca agua. - **8.** Tienes demasiada paciencia con él. - **9.** ¡ Cuántos errores antes de dar con la solución ! - **10.** Alguien llama a la puerta. ¿ Será alguno de tus amigos ?

82. Traduction de « on ».

1. A lo lejos se veían los faros de un coche. - **2.** Uno necesita a menudo divertirse. - **3.** Me lo han dicho, me lo han repetido. - **4.** ¡ Escriben tantas cosas en los periódicos ! - **5.** Se construyen más coches cada año. - **6.** Uno no puede estar en todo a la vez. - **7.** Se necesitan albañiles. - **8.** Ayer, con unos amigos, fuimos al cine. - **9.** Se oyen ruidos en la calle, pero no se sabe de dónde proceden. - **10.** Se oyen estudiantes ; s les oye tocando la guitarra. - **11.** Nos hemos encontrado con tus padres en l mercado. - **12.** Se distinguen los coches cerca de la tribuna y se les imagina dispuestos a marchar. - **13.** Una no puede saberlo todo, decía mi madre. - **14.** Se come tarde en España.

83. Adverbes de lieu.

1. Ésta es la casa donde nací. - **2.** Esta puerta se abre hacia (afuera) adentro. - **3.** ¿ Sa-bes dónde he dejado mis gafas ? - **4.** Se dirigieron hacia donde habían oído ruidos. - **5.** América está lejos, más allá del mar. - **6.** Su novio la esperaba siempre bajo su balcón. - **7.** Habían puesto sus maletas encima del armario. - **8.** Aquí tienes el dinero que te debía. - **9.** Ven acá, cerca de mí. - **10.** El gato se refugió detrás de las cortinas. - **11.** Frente a la iglesia está la carnicería. - **12.** El perro iba siempre tras su amo.

84. Adverbes de temps.

A. 1. El hijo del panadero no atiende nunca a los clientes. - **2.** Es mejor que hagas ahora lo que no podrás hacer mañana. - **3.** Los recién llegados fueron acogidos con alegría. - **4.** En nuestra familia, sólo vamos al teatro de vez en cuando. - **5.** No me gusta acostarme tarde. - **6.** Nunca he robado, ni una vez. - **7.** Los campesinos suelen levantarse temprano. - **8.** Mientras dormimos, los serenos vigilan nuestro barrio. - **9.** Anoche miré la televisión hasta las once y hoy estoy cansadísimo. - **10.** Hoy es martes a 21 de marzo ; pues pasado mañana será el 23.

B. 1. los trenes recién llegados. - **2.** el suelo recién limpiado. - **3.** al niño recién nacido. - **4.** Tu casa recién pintada. - **5.** este libro recién leído. - **6.** la nueva Casa Consistorial, recién inaugurada. - **7.** La película recién estrenada. - **8.** Los ancianos recién condecorados.

85. Adverbes de manière.

1. El poeta recitaba lenta y pausadamente. - **2.** El chófer conduce rápida pero prudentemente. - **3.** Mi abuelo explicaba las cosas tranquila y firmemente. - **4.** Este chico trabaja inteligente y claramente. - **5.** El payaso gesticulaba torpe aunque graciosamente. - **6.** Salió majestuosa pero apresuradamente. - **7.** Sabe organizar su negocio eficaz, tranquila y hasta amablemente. - **8.** Me contestó el hombre irónica pero humorísticamente. - **9.** El señor cura nos saludó cortés y familiarmente a la vez. - **10.** Hay que actuar en la vida leal y dignamente.

86. Adverbes de quantité et de comparaison.

1. Apenas aparece su mamá cuando el niño se pone a reír. - **2.** Nunca hay que leer un libro a medias. - **3.** Estaba medio muerta de frío. - **4.** Una hora más, eso sería demasiado para terminar esta tarea. - **5.** Pero dejadnos siquiera unos minutos para las correcciones. - **6.** Este señor gordo tiene a lo menos diez kilos de más. - **7.** De puro numerosos, no pudieron entrar en el teatro. - **8.** Señores, sois demasiado fuertes para mí. - **9.** Las reglas de este juego son demasiado difíciles, y tengo poca paciencia. - **10.** La ventana del balcón estaba medio abierta, hacía mucho calor y hasta demasiado calor. - **11.** A puras repeticiones los problemas les paracieron bastante fáciles. - **12.** Que haga mucho calor o que haga mucho frío, está siempre muy cubierto.

87. Adverbes d'affirmation et de négation.

A. 1. ¿ Nunca viajaste en avión ? - **2.** Lo que pasó, nadie lo sabe. - **3.** Nunca se ponía el sol en el imperio de Carlos Quinto. - **4.** El chico se escondía para que ninguno de sus compañeros lo viese. - **5.** Nada comprendo ; tampoco tú (ou : tampoco comprendes tú). - **6.** No ha trabajado en su vida. - **7.** No quiso darle ni un céntimo. - **8.** A este señor no le interesa nada. - **9.** Tampoco aceptó que alguien le acompañase. - **10.** Ahora, no cree nadie en la existencia de las brujas. - **11.** No podré olvidar jamás la alegría de aquel día de boda. - **12.** No me miró siquiera a la cara. - **13.** Lo que has hecho, ninguna mujer lo haría. - **14.** A nadie dirigieron la palabra ; a usted no le hicieron caso tampoco. - **15.** A ningún miembro de la familia quiso hablar.

B. 1. No puedo dormir de noche sino de día. - **2.** No me gusta el cine sino el teatro. - **3.** No sólo apreciamos la música clásica sino también la zarzuela. - **4.** No practicamos el fútbol sino que preferimos el tenis. - **5.** A toda la familia no le encanta la montaña sino el mar. - **6.** Me aburro bastante en la playa, pero iré a orillas del mar con mis amigos. - **7.** No sólo me disgusta el mundo sino que también odio el ruido y la animación. - **8.** No suele beber vino ; pero sí le gusta saborear una copa de aguardiente. - **9.** No llegaremos el lunes sino el martes. - **10.** No llegaremos el lunes sino que preferimos llegar el martes. - **11.** No hacía mucho frío, pero la lluvia comenzó a caer por la tarde. - **12.** No lee novelas de aventuras sino revistas científicas.

C. 1. Sólo tendremos quince días de vacaciones. - **2.** Ha prometido que no fumaría más. - **3.** Ni siquiera hemos tenido tiempo para apretarles la mano. - **4.** ¿ Nos acompañarás al circo ? - Que sí. - **5.** Ya no iremos a la piscina, el agua está demasiado fría. - **6.** No puedo tragar más ; he comido demasiado. - **7.** Más vale tomar tiempo que no cansarse. - **8.** No iremos al pueblo para Todos los Santos sino para Navidad. - **9.** Ni contestó a mi carta. - **10.** No vuelvas nunca más.

89. Conjonctions de coordination.

1. Lunes y martes. - **2.** Suegra y yerno. - **3.** Blancos e Indios. - **4.** Un día u otro. - **5.** Blanco o negro. - **6.** Viuda o huérfano. - **7.** ¿ Por qué haces eso ? - **8.** Porque eso me gusta. - **9.** Pregúntale el porqué y el cómo de su actitud. - **10.** Pues, adiós, niños.

90. Conjonctions de subordination.

1. E - **2.** P - **3.** J - **4.** G - **5.** M - **6.** B - **7.** T - **8.** R - **9.** K - **10.** A - **11.** H - **12.** N - **13.** D - **14.** F - **15.** S - **16.** L - **17.** O - **18.** Q - **19.** C - **20.** I

91. Emploi particulier de « aunque ».

A. 1. Aunque eran muy jóvenes, tenían ya mucha experiencia. - **2.** No podríamos llegar a tiempo aunque nos levantáramos temprano. - **3.** Aunque me lo pidas de rodillas, nunca haré una acción tan mala. - **4.** Hacían muy poco ruido aunque eran muy numerosos. - **5.** Aunque parece tímido, este niño sabe lo que quiere. - **6.** Seguía mirando la televisión aunque no le gustaba el serial. - **7.** Aunque insistiéramos, estamos seguros de que él no vendría. - **8.** Aunque llovía a cántaros, había mucha gente en la calle. - **9.** Sigue escribiéndoles aunque no le contestan nunca sus amigos. - **10.** No va nunca a misa aunque es un buen católico. - **11.** Nunca iré a ver esta película aunque insistas para que yo la vea. - **12.** Aunque había comido mucho, quería seguir comiendo. - **13.** No creo que haya una guerra aunque lo dicen los periódicos. - **14.** Nunca iré a Inglaterra aunque me acompañen muchos amigos. - **15.** Aunque me lo dijeran personas serias, yo no le creería.

B. 1. Aunque es una mujer bastante pobre, vive convenientemente. - **2.** Yo no quisiera tener su oficio aunque me pagara diez veces más. - **3.** Aunque estaba prohibido, la gente fumaba en la sala de cine. - **4.** Aunque vayas a la ciudad en coche, no tardarás menos de una hora. - **5.** No te enfades, aunque sigue irritándote. - **6.** Aunque había mucha gente en las calles, había poco alegría. - **7.** No contestes aunque te provoquen. - **8.** Aunque estamos a principios de mayo, el tiempo está muy fresco todavía. - **9.** Aunque lo supiéramos, no te lo diríamos. - **10.** Aunque se las da de inteligente, tiene mucho retraso en sus estudios.

103-104. Haber - Tener.

1. Nos hemos divertido en la feria. - **2.** Hubo que insistir para que viniera. - **3.** Habrá nieve esta noche. - **4.** Tienes que salir para el colegio antes de las ocho. - **5.** Ahí están las maletas, las tenemos preparadas. - **6.** Me gusta la canción que usted ha interpretado. - **7.** Para el juego del hombre, cada jugador ha de tener nueve cartas. - **8.** Mira las manchas que has hecho. - **9.** ¡ Henos aquí ! Nos hemos dado prisa para venir. - **10.** Habrá mucho sol para Pascuas. - **11.** Habrá que conducir con prudencia. - **12.** Tendremos que conducir con prudencia. - **13.** Se ha herido gravemente con su cuchillo. - **14.** ¡ Ya está ! Tengo hechos mis ejercicios. - **15.** Habrá habido muchos accidentes durante estas vacaciones.

105-106. Ser - Estar.

1. es. - **2.** es. - **3.** estemos. - **4.** está. - **5.** es. - **6.** somos/estamos. - **7.** era. - **8.** es/está. - **9.** somos. - **10.** es/es. - **11.** estamos/es. - **12.** estuvo. - **13.** sois/somos/somos. - **14.** es/es. - **15.** es/es/es. - **16.** es/está. - **17.** sois/sois. - **18.** estoy. - **19.** están/están. - **20.** es.

107. Ser ou Estar + adjectif.

1. es/es. - **2.** es/es/es. - **3.** está. - **4.** estamos. - **5.** somos/estás. - **6.** es/está. - **7.** estaba/estaba. - **8.** es/es. - **9.** está/es/está. - **10.** estoy/estoy. - **11.** es. - **12.** es/es. - **13.** estoy/es. - **14.** es/sean. - **15.** ser/está. - **16.** fue/estuvieron. - **17.** está/están. - **18.** era/es. - **19.** están/está. - **20.** será/estaremos.

108. Ser ou Estar + Participe passé.

1. fue construída/está hecha. - **2.** fue pronunciado/estaba un poco emocionado/fue aplaudido. - **3.** están protegidas. - **4.** fueron firmadas/ser llevadas. - **5.** estuvo cavado/fue bajado. - **6.** está puesta/está servida. - **7.** está cerrada/ha sido cerrada. - **8.** ser felicitados/serán premiados. - **9.** será bendecido/ser llevado. - **10.** está enamorado. - **11.** fue visto/fue detenido. - **12.** había sido acumulado/estaba disimulado. - **13.** fue castigado/estaba afligido. - **14.** es apreciado. - **15.** está prohibido. - **16.** ha sido aprobada/está aprobada. - **17.** son vendidos. - **18.** estaban fijadas. - **19.** fue repetido. - **20.** está echada.

105-108. Emploi de Ser et de Estar.

A. 1. La Casa de Diputación está rematada por un pararrayos. - **2.** La novela fue premiada por la Academia. - **3.** Mi tía Luisa es profesora de inglés. - **4.** Una cigüeña está anidada en el campanario. - **5.** Carlos Primero era un monarca muy poderoso. - **6.** Esta carta está escrita en alemán. - **7.** Guernica fue bombardeada durante la guerra. - **8.** El doctor del pueblo está siempre muy ocupado. - **9.** Las pistas de tenis están a la salida del pueblo. - **10.** Esta noche en casa somos cinco para cenar.

B. 1. estás. - **2.** está/está. - **3.** sea. - **4.** es/estoy hecho. - **5.** están/están. - **6.** estoy/es. - **7.** estar/es. - **8.** sea. - **9.** fue. - **10.** ha sido. - **11.** estés. - **12.** serás. - **13.** fue. - **14.** es. - **15.** estás/estás. - **16.** están/estaremos. - **17.** estar/es. - **18.** somos/estamos. - **19.** son/están. - **20.** ha sido/ha sido.

C. 1. era. - **2.** está. - **3.** es. - **4.** es/está. - **5.** era/es/son/están. - **6.** estuvieran. - **7.** estamos/soy. - **8.** es/fue. - **9.** estaba. - **10.** es/estaba.

D. **1.** Somos amigos. - **2.** Hoy es el santo de Pablo. - **3.** Estoy encantado de encontrarte. - **4.** Estábamos durmiendo. - **5.** No eres de este siglo. - **6.** Tu trabajo es un desastre. - **7.** Este empresario está muy ocupado. - **8.** Somos felices, estamos de vacaciones. - **9.** Estás contento de tu suerte. - **10.** Ha sido llamado al teléfono. - **11.** ¿ Estarás en casa mañana ? - **12.** Esta música está de moda. - **13.** Es un aire conocido. - **14.** Está nervioso cuando está borracho. - **15.** Es activo y nervioso. - **16.** Erase una vez una mala bruja. - **17.** Los carteros están descontentos ; están de huelga. - **18.** No eres tú el más fuerte. - **19.** ¡ Ya está ! El presidente está elegido. - **20.** Los impuestos sólo serán exigidos dentro de un mes. - **21.** Leningrado es el nombre antiguo de San Petersburgo. - **22.** Ha sido fundado por Pedro el Grande. - **23.** El agua está caliente, es para tu té. - **24.** No estés impaciente, no es tarde. - **25.** Está avergonzado porque no es el primero.

110. L'infinitif

1. Por estar de buen humor, reía a carcajadas. - **2.** Con practicar muchos deportes, desarrollamos nuestros músculos. - **3.** De tolerar tal injusticia, no seríamos buenos ciudadanos. - **4.** Se vio un gran fulgor en el cielo al astallar la bomba. - **5.** Le han fusilado por haber traicionado su patria. - **6.** Después de terminar la carrera, se dedicó al periodismo. - **7.** Todo el pueblo aplaudió al pasar el coche de los recién casados. - **8.** De avisarme antes, yo les habría preparado una habitación. - **9.** Con parecer tan tranquilo, disimula un temperamente muy vivo. - **10.** Tras haber hablado dos horas seguidas, tenía la garganta sequísima. - **11.** Con ser tan astuto, fracasó totalmente en su proyecto. - **12.** De no hacerlo tú, nadie lo hará. - **13.** Con tomar solamente este jarabe se acaba tu tos. - **14.** Quiso terminar la tarea por parecerle muy fácil. - **15.** Niños, ¡ a salir ! ¡ a pasear ! - **16.** Desde hacía dos días los pobres estaban sin comer. - **17.** No estamos aquí para dormir. - **18.** De no repetírselo tú, él no habría comprendido. - **19.** De no ayudarme tú, no te ayudaré tampoco. - **20.** Al levantarse el día, los viajeros estaban lejos ya.

111. Le participe passé.

A. **1.** Quien no ha visto a Sevilla no ha visto maravilla. - **2.** Creían a pies juntillas las noticias que venían impresas en el periódico. - **3.** Los ingenieros no han resuelto todos los problemas. - **4.** Sólo se había afeitado la mejilla izquierda. - **5.** Tenía afeitada la mejilla izquierda. - **6.** En la catástrofe varias personas resultaron heridas. - **7.** Volví tristemente a casa, perdidas mis ilusiones. - **8.** Han muerto cuatro Romanos y cinco Cartagineses.

B. **1.** Los chicos tenían preparadas sus lecciones. - **2.** Muchos no tenían elegidas sus asignaturas. - **3.** Mi hermano tendrá terminados sus estudios dentro de dos años. - **4.** Tengo apuntadas las ideas principales del texto. - **5.** Tenemos guardadas unas cuantas botellas en la bodega.

C. **1.** Vino hacia mí con las manos tendidas. - **2.** Muerto el perro, muerta la rabia. - **3.** El escritor llevaba escrita ya gran parte de su obra. - **4.** Con la boca abierta, me miró durante algunos segundos. - **5.** Quedó satisfecho de lo que le habían dicho. - **6.** Perdida la paciencia, gritaba como un loco. - **7.** Tengo escrita una carta de felicidades para mis abuelos. - **8.** Quedó absorto más de media hora. - **9.** Impresas las últimas líneas, los periódicos serán distribuídos. - **10.** Hechas las partes, el león habló así. - **11.** Resueltas las dificultades, se sintió feliz. - **12.** Vuelta la cabeza hacia la pared, quería esconder sus lágrimas. - **13.** Permaneció sentado una hora sin moverse. - **14.** LLevaron el preso a la cárcel con las manos atadas. - **15.** El Director andaba muy preocupado aquel día. - **16.** La camisa estaba envuelta en un papel con dibujos.

112. Le gérondif.

A. **1.** Las parejas seguían bailando aunque ya había cesado la música. - **2.** En muchas regiones va desapareciendo lo típico. - **3.** Desde hace años el campesino sigue labrando su pequeña porción de tierra. - **4.** Los soldados iban desfilando. - **5.** Siempre estás diciendo lo contrario de lo que digo. - **6.** El río va subiendo con las incesantes lluvias. - **7.** A pesar de sus años sigue practicando muchos deportes. - **8.** Estos colegiales van progresando. - **9.** A pesar de las contradicciones, el Diputado sigue leyendo su discurso. - **10.** El tiempo va cambiando.

B. 1. estando. - **2.** leyendo. - **3.** paseando. - **4.** estando. - **5.** cantando. - **6.** divirtiéndose. - **7.** haciendo. - **8.** durmiendo. - **9.** contestando. - **10.** transcurriendo.

113. L'indicatif.

A. 1. me tocó. - **2.** ha hecho. - **3.** hemos tenido. - **4.** construyeron. - **5.** hemos ido. - **6.** cayó y se hizo daño. - **7.** ha habido. - **8.** he trabajado. - **9.** no hemos recibido. - **10.** salimos.

B. 1. Por poco se cae al río. - **2.** Este señor tendrá más de cincuenta años. - **3.** Me pregunto cómo hará para llegar hasta aquí. - **4.** ¿ Sabes cuántos seremos en esta reunión ? - **5.** Son las ocho ; habrá llegado el tren. - **6.** Te puedo asegurar que hará buen tiempo mañana por la mañana. - **7.** Por poco me corto con este cuchillo. - **8.** Ignoramos cuándo tendremos que estar listos. - **9.** Dime cuándo volverás. - **10.** Me pregunto si me acompañará.

C. 1. Joaquín mira para las calles del pueblo, estrechas e intrincadas. Para las viejas casas encaladas donde hay macetas de flores escarlatas. Para el rumor de las calles donde los niños alborotan. A las mujeres que, sentadas en la alberca, se saludan y ríen mientras esperan a llenar sus cántaras. Tienen cabellos oscuros, ojos hundidos en sus caras tristes que se adentran en el alma. - **2.** Pimentó suelta su acusación. Aquel hombre que está junto a él, tal vez por ser nuevo en la huerta, cree que el reparto del agua es cosa de broma y que puede hacer su santísima voluntad. - **3.** Con estas instrucciones teóricas y prácticas me creo ya capacitado para lanzarme por las calles y carreteras del ancho mundo y comparezco el día que me fijan ante al experto oficial que ha de negarme o concederme el carnet de conducir. Contesto algunas preguntas, hago ciertas evoluciones. - **4.** Mosén Millín pide al monaguillo que le acompañe a llevar la extremaunción a un enfermo grave. ... El cura no quiere responder. Y siguen andando. Paco se siente feliz yendo con el cura.

D. a) Tú almuerzas unas ostras... Después enciendes un cigarrillo y te deleitas pensando en la felicidad que te procura... Esa ostra se encuentra satisfecha en el fondo del mar. La primera contrariedad de su vida la experimenta cuando la extraen para ti de su natural elemento. - **b)** Tú almorzarás unas ostras... Después encenderás un cigarrillo y te deleitarás pensando en la felicidad que te procurará... Esa ostra se encontrará satisfecha en el fondo del mar. La primera contrariedad de su vida la experimentará cuando la extraigan para ti de su natural elemento.

E. Le examinaron de arriba abajo, le sacaron radiografías, le pidieron cientos de análisis de sangre... Le pesaron, le midieron, le auscultaron, le tumbaron, le levantaron, se puso de un lado, de otro, de frente, de espaldas, dijo treinta y tres, respiró hondo, abrió la boca, sacó la lengua, entornó los ojos, giró la cintura, midió sus calorías, observó su metabolismo, se tomó el pulso, escuchó sus válvulas, sintió su circulación, no comió, no bebió, no fumó...

F. « ... las aguas envasadas estaban a veces plagadas de alegres colonias de microbios, y la del grifo no solía ser mucho más recomendable... Los aditivos contenidos en los panes permitían apenas conservar un vago recuerdo de uno de los alimentos básicos, la blancura de la carne se conseguía con hormonas... »

G. 1. Don Abundio comenzó la mañana metiendo prisa a su mujer y a sus tres hijas. Al cabo de dos horas de estorbar, logró que las chicas estuvieran arregladas y la comida empaquetada. Don Abundio agarró el primer atasco a la salida de la ciudad. Cinco kilómetros le costó al coche hora y media. El coche se recalentó y don Abundio tuvo que sacarle a un andén para que se enfriara. - **2.** La ambulancia postal llegó a los cinco minutos y lo subieron a una camilla grande donde pudo tenderse a gusto. Le llevaron a la sala de radio. Alguien de blanco, alto y delgado se le acercó y se puso a mirar la radiografía. Sintió que lo pasaban de una camilla a otra. El hombre de blanco se le acercó otra vez, sonriendo, con algo que brilló en la mano derecha. Le palmeó la mejilla e hizo una seña a alguien parado atrás.

H. La sangre se nos agolpará a los oídos. Saldremos de la estación con el fardo del equipaje al hombro, torceremos por una senda sin necesidad de pasar por el pueblo, y empezaremos a caminar. Iremos tristes, muy tristes. Pasando cerca del cementerio, cogeremos miedo, un miedo inexplicable ; nos imaginaremos a los muertos saliendo en esqueleto a mirarnos pasar. No nos atreveremos a levantar la cabeza ; apretaremos el paso. Cuando lleguemos a nuestra casa estaremos rendidos.

I. Cuando el baile llegue a su apogeo, que será de nueve a nueve y media de la noche, el ruido de los pies y de las conversaciones será ensordecedor, y los magos del ritmo moderno, por más que se esfuercen, no se les oirá que desde muy cerca. El calor será sofocante, la gente sudará a chorros y no se podrá dar ni un paso.

114. Le conditionnel.

A. 1. Afirmaban los periódicos que el eclipse se produciría el 26 de este mes. - **2.** ¿ Sabías cuándo nos darían una respuesta ? - **3.** Era evidente que Juan vendría acompañado de su mujer. - **4.** Te prometimos que nunca más le volveríamos a ver. - **5.** No sabía todavía a qué hora llegarían. - **6.** Supuse que se habría metido en un atasco a la salida de la ciudad. - **7.** El doctor dijo que el enfermo estaría mejor. - **8.** Creía que habría que esperar con mucha paciencia. - **9.** Os repetía que tendríais que estar aquí a las siete. - **10.** Ignoraba quién pronunciaría el discurso. - **11.** Estaba seguro de que se pondría pantalones vaqueros. - **12.** El Rey declaró que abdicaría en su hijo. - **13.** Eran las ocho : mis padres estarían en casa. - **14.** El jefe de estación anunció que el tren tendría media hora de retraso. - **15.** Me pregunté si querría contestar a mi invitación.

B. 1. Jugaría al baloncesto si yo fuera más alto. - **2.** Si me tocara el gordo, me compraría una moto. - **3.** Por más que le suplicaras, estoy seguro de que él no cedería. - **4.** Me dolerían los pies si anduviera demasiado. - **5.** Si se presentase al examen, le suspenderían. - **6.** Por muy difíciles que fueran las pruebas, Antonio sabría vencerlas. - **7.** Este borracho seguiría bebiendo por más que le doliera la cabeza. - **8.** Si tuviera voluntad, yo dejaría de fumar. - **9.** No me disgustaría alojarme en un hotel de cuatro estrellas si fuera de viaje. - **10.** De todas formas, aunque me hubiese puesto un impermeable, estaría hecho una sopa.

115. L'impératif.

A. 1. ¡ Circulen ! ¡ No se detengan ! - **2.** ¡ No entren ni salgan ! ¡ dejen salir ! - **3.** ¡ No metas la mano ! ¡ No te muevas ! - **4.** ¡ Ven aquí y no llores más ! - **5.** ¡ Haz deporte, no trasnoches y ponte de vacaciones ! - **6.** ¡ Siéntese ! ¡ no se moleste ! - **7.** ¡ No ensuciéis el suelo ! ¡ No juguéis a la pelota ! ¡ Salid ! - **8.** ¡ Sea el bienvenido ! ¡ Pase y sírvase !

B. 1. ¡ No os vistáis y no salgáis ! - **2.** ¡ No vengas y no me escuches ! - **3.** ¡ No me mires y no me respondas ! - **4.** ¡ No grites y no te quejes ! - **5.** ¡ No pierdas tu tiempo ! - **6.** ¡ No les digas que vengan ! - **7.** ¡ No se ponga usted a mi lado ! - **8.** La respuesta, ¡ no me la des ! - **9.** ¡ No os esforcéis por estar atentos ! - **10.** ¡ No veas esta película !

C. 1. ¡ No escuchéis... ! - **2.** ¡ No me digas... ! - **3.** ¡ No me esperes...! - **4.** ¡ No seas bueno...! - **5.** ¡ No salgamos...! - **6.** ¡ No hable usted...! - **7.** ¡ No os acerquéis...! - **8.** ¡ No te pongas...! - **9.** ¡ No hagas...! - **10.** ¡ No juguéis...!

D. 1. ¡ Dejaos engañas ! ¡ Abandonad ! - **2.** Este coche, ¡ condúcelo ! - **3.** ¡ Diviértete ! ¡ Entretente ! - **4.** Esta versión, ¡ tradúzcanla ! - **5.** ¡ Dirigíos... ! - **6.** ¡ Repetídselo ! - **7.** ¡ Durmámonos ! - **8.** ¡ Desuníos ! - **9.** ¡ Traédselas ! - **10.** ¡ Dígaselo !

116. Le subjonctif.

A. 1. F - **2.** C - **3.** G - **4.** A - **5.** J - **6.** I - **7.** H - **8.** B - **9.** E - **10.** D

B. 1. ¡ Ojalá me admitan en la clase superior ! - **2.** Nos pidió que le contestáramos cuanto antes. - **3.** ¡ Que tengáis un buen viaje ! - **4.** Le suplico que usted me eche una mano para reparar este motor. - **5.** Quizás les haya pasado algo grave. - **6.** No quisieron que les acompañáramos a la estación. - **7.** Me extraña que pueda afirmar tales barbaridades. - **8.** El cabo ordenó al soldado que barriese el patio del cuartel. - **9.** No está bien que salgas con este traje tan sucio. - **10.** ¡ Ojalá no hubiera bebido tanto !

117. L'imparfait du subjonctif.

A. 1. El doctor insistió para que hiciéramos (hiciésemos) ... - **2.** Dudaba que Gerardo consiguiera (consiguiese) ... **3.** Era probable que el cartero hubiera (hubiese) pasado ya. - **4.** Sentí (sentía) mucho que nos pudieras (pudieses) ... - **5.** No pude (podía) admitir que me contestaras (contestases) ... - **6.** Quise (quería) terminar esta versión antes de que anocheciera (anocheciese) - **7.** Me extrañó (extrañaba) que la secretaria no estuviera (estuviese) ... - **8.** Estuvimos (estábamos) satisfechos con tal que nos dejaran (dejasen). - **9.** Te esperé (esperaba) hasta que fueran (fuesen) ... - **10.** Le rogué (rogaba) que recibiera (recibiese) ... - **11.** Busqué (buscaba) un intérprete que supiera (supiese) - **12.** Te invitamos (invitábamos) ... a no ser que estuvieras (estuvieses) ... - **13.** No soporté (soportaba) que volvieras (volvieses) ... - **14.** Fue (era, sería, ...) ... para que fueras (fueses) ... - **15.** Me temí (temía) que vinieran (viniesen) ... - **16.** Fuiste (ibas) a pedirles que trajeran (trajesen) ... - **17.** Fue (era) normal que te pusieras (pusieses) ... - **18.** El Director deseó (deseaba) que usted fuera (fuese) ... - **19.** Me pareció (parecía) increíble que anduvieras (anduvieses) ... - **20.** Me gustó (gustaba) que usted se sintiera (sintiese) ...

B. 1. Había adelantado mucho desde que llegara a Sevilla. - **2.** ¡ Quién tuviera una buena salud ! - **3.** El trayecto era mucho más corto de lo que creyera. - **4.** Quisiéramos pedirte el favor de acompañarnos. - **5.** Si hubiera tenido más tiempo, me hubiera quedado unos días más en su chalet. - **6.** El aprendiz intentó hacer lo que le dijera el amo. - **7.** ¡ Quién supiera cantar ! - **8.** Castigó finalmente al que amara. - **9.** Quisiera haber escrito esta novela. - **10.** Dijérase que el tiempo iba a cambiar.

C. 1. Haré como si nunca lo hubiese sabido. - **2.** Trabaja mejor solo que si se le ayudara. - **3.** El tiempo es peor que si estuviésemos en invierno. - **4.** Gana menos dinero trabajando que si estuviera parado (en paro). - **5.** Es más fuerte que si hubiera comido espinacas. - **6.** Grita como si le degollasen.

118. La proposition subordonnée.

A. 1. Los campesinos tienen que remover la tierra para que haya cosechas. - **2.** ... tuvieron ... hubiera... - **3.** Hay que cortar mucha leña para que la chimenea caliente la sala. - **4.** Había que ... calentase... - **5.** Hace falta cuidar los árboles para que los frutales no se marchiten. - **6.** Hacía falta ... se marchitasen. - **7.** Es necesario tener mucha lluvia para que el trigo crezca. - **8.** Era necesario ... creciera. - **9.** La azafata hace muchos esfuerzos para que los pasajeros estén satisfechos. - **10.** ... hacía ... estuviesen... - **11.** El médico propone una receta audaz para que el enfermo recobre la salud. - **12.** ... propuso ... recobrase... - **13.** Los investigadores se afanan para que el cáncer desaparezca. - **14.** ... se afanaron ... desapareciera.

B. 1. El maestro me aconseja que yo lea mi ejercicio y que lo haga de nuevo. - **2.** Nuestros amigos nos dijeron que viniéramos lo antes posible y nos diésemos prisa. - **3.** Le suplico que usted tenga cuidado y no pise las flores del jardín. - **4.** Te aconsejamos que sueltes los hilos del teléfono y obedezcas pronto. - **5.** Emilio nos dijo con sorna que nos acercásemos y le cogiéramos. - **6.** Mamá nos prohibió que dijéramos cosas tan feas. - **7.** Ya te dijimos que te divirtieras y no nos molestaras. - **8.** El cliente nos rogó que le contestásemos a vuelta de correo y no tardásemos. - **9.** Te digo una vez más que te sientes y no te muevas más. - **10.** Nos avisó el policía que nos pusiéramos el cinturón de seguridad y circulásemos. - **11.** Nuestros amigos nos sugieren que vayamos a la estación y les sorprendamos. - **12.** Nos recomendó el vendedor que le comprásemos el televisor. Era barato. - **13.** Alberto nos propone que vayamos con él al cine y no le dejemos solo. - **14.** El maestro ordenó a sus alumnos que se levantasen y saliesen. - **15.** Te suplico que hagas menos ruido.

C. 1. Nos escribieron : ¡ Contéstennos por correo y telefonéennos ! - **2.** En el Metro se aconseja a los viajeros : ¡ No empujen ! ¡ Dejen salir ! - **3.** El ama de casa ordenó a la chica : ¡ Barra el comedor ! ¡ Haga la limpieza ! - **4.** El Director de Ventas prohíbe a sus empleados : ¡ No fumen en mi despacho ! - **5.** El empresario pide a su secretaria : ¡ Prepáreme el informe para mañana ! - **6.** Su novia sugiere a Pedro : ¡ Ven conmigo a hacer algunas gestiones oficiales ! - **7.** El turista extranjero me rogó : ¡ Indíqueme dónd está la calle de Alcalá ! - **8.** Mis padres me recomendaron : ¡ No se te olvide escribirnos ! - **9.** Propusimos a nuestro cuñado : ¡ Ven a cenar a casa ! - **10.** El mendigo nos pide : ¡ Denme una limosnita ! - **11.** Los pobres viajeros suplicaron a los ladrones : ¡ No nos maten ! ¡ Déjennos irnos ! - **12.** Dice el médico a su cliente : ¡ Siéntese y abra la boca ! - **13.** Le ruego al Director : ¡ Sírvase concederme una entrevista ! - **14.** Los fieles pidieron al obispo : ¡ Dénos su bendición ! - **15.** La publicidad aconseja a los teleespectadores : ¡ Compren y consuman !

D. 1. Te ruego que me escuches. – **2.** Le dijimos que viniera. - **3.** No te muevas antes de que vuelva tu padre. - **4.** Insistió para que le diera la información. - **5.** No estábamos seguros de que nos hubiera dicho toda la verdad. - **6.** Diles que no insistan. - **7.** Sería extraño que no nos escribiese. - **8.** No estoy contento de que hayas estropeado tu bicicleta. - **9.** Habíamos lamentado mucho que no hubieran venido. - **10.** No puedo tocar el piano sin que mis vecinos regañen. - **11.** Nos mandarás una carta cuando hayas llegado. - **12.** Se dará una buena nota a quien conteste mejor. - **13.** Mientras haya vida, habrá esperanza. - **14.** Puedes salir con tal que te cubras bien. - **15.** Sería lamentable que no hicieras un mínimo de esfuerzos. - **16.** Te harás más fuerte a medida que crezcas. - **17.** Saldré de vacaciones en cuanto mis problemas estén resueltos. - **18.** El último que salga cerrará la puerta. - **19.** Habían dicho que el que hablase sería castigado. - **20.** ¡ Ojalá no haya embotellamientos !

E. 1. D - **2.** H - **3.** I - **4.** F - **5.** B - **6.** J - **7.** A - **8.** G - **9.** C - **10.** E.

119. L'hypothèse dans la proposition subordonnée.

A. 1. Te llamaré cuando te necesite. - **2.** El taxista llegará en cuanto las maletas estén preparadas. - **3.** Haré como quieras. - **4.** Haré mis compras en la tienda que me proponga los mejores precios. - **5.** Al primero que se mueva, lo freiré. - **6.** Te esperaré donde haya poco sol. - **7.** Haremos lo que nos dé la gana. - **8.** Mientras duerma el niño, su mamá le preparará su papilla. - **9.** Apenas se levante el sol, los labradores saldrán para el campo. - **10.** Todos levantarán la vista tan pronto como la chica se asome al balcón. - **11.** Luego que llegue la primavera brotarán las violetas. - **12.** El empresario contratará al primer obrero que se presente. - **13.** Todo lo que hagas por mí me conmoverá. - **14.** Quien vaya a Sevilla perderá su silla. - **15.** Me dolerá el hígado cuando coma demasiado chocolate.

B. **1.** Te llamaría cuando te necesitara. - **2.** El taxista llegaría en cuanto las maletas estuvieran preparadas. - **3.** Haría como quisieras. - **4.** Haría mis compras en la tienda que me propusiera los mejores precios. - **5.** Al primero que se moviera, lo freiría. - **6.** Te esperaría donde hubiera poco sol. - **7.** Haríamos lo que nos diera la gana. - **8.** Mientras durmiera el niño, la mamá le prepararía su papilla. - **9.** Apenas se levantara el sol, los labradores saldrían para el campo. - **10.** Todos levantarían la vista tan pronto como la chica se asomara al balcón. - **11.** Luego que llegara la primavera brotarían las violetas. - **12.** El impresario contrataría al primer obrero que se presentara. - **13.** Todo lo que hicieras por mí me conmovería. - **14.** Quien fuera a Sevilla perdería su silla. - **15.** Me dolería el hígado cuando comiera demasiado chocolate.

C. **1.** vengas. - **2.** sepa. - **3.** estropeéis. - **4.** me muera. - **5.** lleguemos. - **6.** crezcan. - **7.** pida. - **8.** enciendas. - **9.** me lea. - **10.** preguntara. - **11.** ahorrasen. - **12.** quisieras. - **13.** tocasen. - **14.** lo necesitara. - **15.** amaneciera.

D. **1.** Le esperaremos en el andén cuando llegue el tren. - **2.** Brindaremos por él en cuanto haya acabado su discurso. - **3.** Mientras haya vida, habrá esperanza. - **4.** Me decía que me ayudaría cuando tuviese tiempo. - **5.** Comprarás las mejores patatas que encuentres en el mercado. - **6.** Repetía que descansaría luego que la temporada estuviese acabada. - **7.** El perro obedecerá a todas las órdenes que le des. - **8.** El primero que hable será castigado. - **9.** Sacaremos el barco tan pronto como amaine el viento. - **10.** Haría con placer cuanto me pidieras.

121. La phrase conditionnelle.

A. **1.** Si le diera a Vd estos zapatos, yo perdería dinero. - **2.** Si lloviera siempre como hoy, Aldeaseca no se llamaría Aldeaseca. - **3.** Si pudiera soportar el clima del altiplano, iría al Perú. - **4.** Si tu abuelo hubiera visto esta libreta, se habría muerto en el acto. - **5.** Si construyesen buenas carreteras, los turistas vendrían como moscas. - **6.** Si lo supiera, te lo diría. - **7.** Si visitaras a Granada, verías lo hermosa que es. - **8.** No te preguntaría nada si me dijeras la verdad. - **9.** Claro que podrías comprender si lo quisieras. - **10.** Si me diera la oportunidad, saldría a torear. - **11.** Te harías mucho daño si te hirieras con este cuchillo. - **12.** Daría algunos pasos por el parque si me sintiera mejor. - **13.** España sería un país muy rico si produjera petróleo. - **14.** Podríamos ir a la piscina si trajeras tu traje de baño. - **15.** Si anduviera en los trigales, el campesino no estaría contento.

B. **1.** Si estuviera reparado el coche, saldríamos a la sierra. - **2.** Si se nos escapara el perro, sería difícil atraparlo. - **3.** Habría embotellamientos si los camioneros se declarasen en huelga. - **4.** Tendrías que hacer autostop si perdieses el tren. - **5.** Te estaría muy agradecido si me pudieras prestar algún dinero. - **6.** No tendrían lugar los campeonatos de esquí si no cayera bastante nieve. - **7.** Haría muchos errores si tradujera esta versión. - **8.** Sería capaz de cualquier locura si se pusiera a beber. - **9.** Si pudieras alcanzar aquel cuadro, me lo descolgarías. - **10.** Llegaríamos tarde si anduviéramos tan lentamente.

C. **1.** Si estuviera de mal humor, a nadie hablaría. - **2.** Me haría un vestido si cosiera bien. - **3.** Si tuviéramos una buena vista, conduciríamos un coche. - **4.** Si excitara el perro del vecino, me mordería. - **5.** Si quisieras ser elegante, te pondrías una corbata. - **6.** Si fuéramos al circo, los payasos nos harían reír. - **7.** Si trajeras tu guitarra, podríamos cantar. - **8.** Si anduviéramos entre los helechos, tendríamos miedo a las serpientes. - **9.** Si fuésemos cuatro, jugaríamos a las cartas en el salón. - **10**. Verías todo Mexico si subieras a la torre Latinoamericana.

D. **1**. me sobre. - **2**. te sientas - **3**. haya. - **4**. no sea. - **5**. quieras. - **6**. nieve.

122. La proposition concessive.

A. **1**. Por muy cansados que estaban, ... - **2**. Por muchos obstáculos que se presenten, ... - **3**. Por muy activo que fuera, ... - **4**. Por más que hagas, ... - **5**. Por muchas actividades que tenía, ... - **6**. Por muy mala que es ... - **7**. Por mucho que protestases, ... - **8**. Por muchas necedades que afirmaba, ... - **9**. Por más que se agite, ... - **10**. Por mucho que le suplicaras, ... - **11**. Por muchos atascos que le retrasaban, ... - **12**. Por más que le mime su madre, ...

B. **1**. no podrías soportar tal retraso. - **2**. no podías soportar tal retraso. - **3**. no podrás soportar tal retraso. - **4**. no puedes soportar tal retraso. - **5**. seguía desobedeciéndole. - **6**. seguiría desobedeciéndole. - **7**. acabó por desanimarse. - **8**. nunca querrá agradecértelo. - **9**. no lo conseguirías. - **10**. su mujer le ama con mucho cariño. - **11**. su madre se los perdonaría. - **12**. él progresará poco.

123. L'affirmation, la cause, la conséquence.

A. **1**. Me da mucha pena que haya muerto. (subj.) - **2**. Nos prometen que vendrán. (ind.) - **3**. Está bien que sea así. (subj.) - **4**. Estoy seguro de que escribirán. (ind.) - **5**. No estoy seguro de que escriban. (subj.) - **6**. Te digo que te calles. (subj.) - **7**. Te digo que son las cuatro. (ind.) - **8**. Es normal que sea el más fuerte. (subj.) - **9**. Era evidente que aceptarían. (cond.) - **10**. Ignoro quién actúa (actuará) en esta película. (ind.) - **11**. Yo contestaría mal a quien me hablara mal. (subj.) - **12**. Nos esperaron hasta que salimos. (ind.) - **13**. Nos llevaremos bien ya que somos amigos. (ind.) - **14**. No sabíamos por dónde pasarían ellos. (cond.) - **15**. Solía madrugar si estaba de vacaciones. (ind.)

B. **1**. Saldré puesto que hace buen tiempo. - **2**. No saldré hasta que haga buen tiempo. - **3**. Sé que es la una. - **4**. No sé qué hora es. - **5**. Si tú vinieras, estaría contento. - **6**. No sé si tú vendrás. - **7**. No sabía si tú vendrías. - **8**. Si tú vienes, estaré contento. - **9**. Hacía tanto frío que me quedé en casa. - **10**. Ignoro quién actúa en esta película. - **11**. Yo contestaría mal a quien me hablara mal. - **12**. Nos esperaron hasta que salimos. - **13**. Nos llevaremos bien ya que somos amigos. - **14**. No sabíamos por dónde ellos pasarían. - **15**. Solía madrugar si estaba de vacaciones.

124. La notion d'obligation.

1. Hay que comer para vivir. - **2**. Tengo que trabajar para comer. - **3**. Sería necesario que me escribieses. - **4**. Debo respetar a los ancianos. - **5**. Deben de ser las seis. - **6**. Has de saber que Pablo está enfermo. - **7**. Es de ver esta exposición. - **8**. Hubo que actuar con prudencia. - **9**. Debo cien pesetas a mi primo. - **10**. Sería necesario que me hiciese vacunar. - **11**. Hace falta tener petróleo. - **12**. Tendréis que estar aquí a las cinco.

125. Différents aspects de l'action.

A. **1**. Solíamos mirar el serial del lunes. - **2**. Intentaré llegar (= trataré de llegar) a tiempo la próxima vez. - **3**. Volvió a leer (= leyó otra vez) la carta de su tío. - **4**. Tu colega acaba de telefonear. - **5**. Después de tanta lluvia el patio se ha convertido en una vardadera charca. - **6**. El antiguo cartero ha llegado a ser alcalde de su pueblo.

B. **1**. En otoño, las hojas de los árboles se vuelven amarillas. - **2**. Frente al león, el domador se puso verde de miedo. - **3**. La antigua Facultad se ha convertido en un verdadero zoco (= se ha vuelto un verdadero zoco). - **4**. En pocos meses, este niño se ha hecho un hombre. - **5.** La modesta Magerit del siglo XVI ha llegado a ser la capital de España. - **6.** Se puso nervioso cuando se dio cuenta de que su coche no estaba reparado. - **7.** Quiero hacerme duro frente a la realidad de la vida. - **8.** Haciéndose viejo, se ha vuelto muy pacifico.

126-127. Verbes impersonnels - Verbes affectifs.

A. 1. Hacía tres días que no había salido. - **2.** Ha habido tormenta esta noche. - **3.** Nevará o helará esta noche. - **4.** (A nosotros) nos toca jugar. - **5.** Se me había olvidado decirle, señora. - **6.** Me cuesta mucho escribir en este idioma. - **7.** Nos ocurrió (nos sucedió) una aventura asombrosa. - **8.** Se nos ocurrió entrar en un cine. - **9.** Se le antojó comprarse un sombrero tirolés. - **10.** Le dio por reír.

Index grammatical

(Les chiffres renvoient aux paragraphes)

Tables des matières

Impressions Dumas, 42009 Saint-Étienne
N° d'imprimeur : 31479
Dépôt légal : août 1993
Dépôt légal 1re édition : 2e trimestre 1986

Imprimé en France